D1348764

DADA
ALMANACH

DADA ALMANACH

Im Auftrag des ZENTRALAMTS DER DEUTSCHEN DADA-BEWEGUNG

herausgegeben von

RICHARD HUELSENBECK

Mit Bildern

SOMETHING ELSE PRESS, INC. · NEW YORK

This edition is based on the Erich Reiss Verlag edition (Berlin) of 1920, and is reissued, 1966, by Something Else Press, Inc., 160 Fifth Avenue, New York, N. Y. 10010 through the kind permission of Dr. Charles R. Hulbeck.

L. C. Catalog No.: 66-23953

Inhalt.

Einleitung.

I.

Man muß Dadaist genug sein, um seinem eigenen Dadaismus gegenüber eine dadaistische Stellung einnehmen zu können. Es gibt Berge und Meere, Häuser, Wasserleitungen und Eisenbahnen. In den Pampas lassen die Cowboys ihre weiten Lassos fliegen und in dem Golf von Neapel auf millionenmal gemaltem, besungenem und stereoskopiertem Hintergrunde schaukelt der romantische Aeppelkahn, der das deutsche Hochzeitspaar in seine schweren Träume wiegt. Dada hat das alles begriffen. Dada hat die Möglichkeiten der physikalischen Bewegung à outrance ausgenützt. Da bringen sie einem Weltanschauungen und Vereinsstatuten, da stehen die Styliten einer späten Kultur mit dem Glanz eines rechthaberischen Gesichtskrampfes: — Dada. Mohammedaner, Zwinglianer, Kantianer — jok, jok, jok. Dada hat die Weltanschauungen durch seine Fingerspitzen rinnen lassen, Dada ist der tänzerische Geist über den Moralen der Erde. Dada ist die große Parallelerscheinung zu den relativistischen Philosophien dieser Zeit, Dada ist kein Axiom, Dada ist ein Geisteszustand, der unabhängig von Schulen und Theorien ist, der die Persönlichkeit selbst angeht, ohne sie zu vergewaltigen. Man kann Dada nicht auf Grundsätze festlegen. Die Frage: „Was ist Dada?" ist undadaistisch und schülerhaft in demselben Sinn wie es diese Frage vor einem Kunstwerk oder einem Phaenomen des Lebens wäre. Dada kann man nicht begreifen, Dada muß man erleben. Dada ist unmittelbar und selbstverständlich. Dadaist ist man, wenn man lebt. Dada ist der Indifferenzpunkt zwischen Inhalt und Form, Weib und Mann, Materie und Geist, indem es die Spitze des magischen Dreiecks ist, das sich über der linearen Polarität der menschlichen Dinge und Begriffe erhebt. Dada ist die amerikanische Seite des Buddhismus, es tobt, weil es schweigen kann, es handelt, weil es in der Ruhe ist. Dada ist deshalb weder Politik noch Kunstrichtung, es votiert weder für Menschlichkeit noch für Barbarei — es „hält den Krieg und den Frieden in seiner Toga, aber es entscheidet sich für den Cherry Brandy Flip". Und doch hat Dada seinen empirischen Charakter, weil es Phänomen unter Phaenomenen ist. Da Dada der direkteste und lebendigste Ausdruck seiner Zeit ist, wendet es sich gegen alles, was ihm obsolet, mumienhaft, festsitzend erscheint. Es prätendiert eine Radikalität, es paukt, jammert, höhnt und drischt, es kristallisiert sich in einem Punkt und breitet sich über die endlose Fläche, es ist wie die Eintagsfliege und hat doch seine Brüder unter den ewigen Kolossen im Niltal. Wer für diesen Tag lebt, lebt immer. Das bedeutet: Denn wer den Besten seiner Zeit gelebt, der hat gelebt für alle Zeiten. Nimm und gib dich hin. Lebe und stirb.

II.

„Ca y est, ma femme me fait mettre tout nu, tout nu — tout comme le petit Jesus." Chanson parisien.

Dada ist also auch eine Tätigkeit, es ist sogar die exponierteste und anstrengendste Tätigkeit, die es gibt. Dada hat für seine Aktivität ein kulturelles Gebiet gewählt, obwohl es ebensogut als Ueberseekaufmann, Börsianer oder Kinokonzerndirektor hätte auftreten können. Es hat das kulturelle Gebiet nicht aus der Sentimentalität heraus gewählt, die den „geistigen Werten" einen Höchstrang innerhalb der überkommenen Werteklimax zuweist. Die große Mehrzahl der Dadaisten kennt „die Kultur" aus den Berufen des Schriftstellers, Journalisten, des Künstlers. Der Dadaist hat eine eingehende Erfahrung darüber zusammengebracht, wie „Geist" gemacht wird, er kennt die gedrückte Lage des geistigen Produzenten, er hat mit den vielgedruckten Geistschmusern und Manulescus unter den Schreiblingen jahrelang an einem Tisch gegessen, die tiefsten Geheimnisse und die Geburtswehen der Kulturen und der Moralen hat er sich angesehen. Dada macht eine Art Anti-Kultur-Propaganda, aus Ehrlichkeit, aus Ekel, aus tiefstem Dégout vor dem Erhabenheitsgetue des intellektuell approbierten Bourgeois. Da Dada die Bewegung ist, das Erlebnis und die Naivität. die Wert darauf legt, „bon sens" zu besitzen — einen Tisch für einen Tisch und eine Pflaume für eine Pflaume zu halten, da Dada die Beziehungslosigkeit gegenüber allen

Dingen ist und daher die Fähigkeit hat, mit allen Dingen in Beziehung zu treten, wendet es sich gegen jede Art von Ideologie, d. h. jede Art von Kampfzustand, gegen jede Hemmung, Barrière. Da Dada die Elastizität in sich selbst ist und nicht begreifen kann, wie man sich auf etwas festsetzt, sei es Geld, sei es eine Idee — gibt es das Beispiel einer vollkommenen unpathetischen Freiheit des Charakters. Der Dadaist ist der freieste Mensch der Erde. Ideologe ist jeder Mensch, der auf den Schwindel hereinfällt, den ihm sein eigener Intellekt vormacht, eine Idee, also das Symbol einer augenblicksapperzipierten Wirklichkeit habe absolute Realität. Man könne mit einer Sammlung von Begriffen umgehen wie mit Dominosteinen. Ideologe ist auch der, welcher die „Freiheit", die „Relativität", insgesamt die Einsicht, daß sich die Kontur jedes Dinges verrückt, nichts Bestand hat, zu einer „festen Weltanschauung" macht; wie denn die Nihilisten fast immer die unglaublichsten und beschränktesten Dogmatiker sind. Dada ist davon weit entfernt. Es bekämpft zum Beispiel die Kulturideologie, die er für eine der größten und infamsten Lügen hält, — rein aus Lust an der Bewegung, wenn man will aus Grausamkeit, vielleicht aus Koketterie. Der Bürger, der satte Karpfen und Viehhändler, der sich am Sonntag für 20 Mark Kunst kauft, um am Alltag seinen verbrecherischen Fellhandel mit Vorteil weiterbetreiben zu können, soll von Dada ermordet, abgemurkst, für immer unschädlich gemacht werden.

III.

„Aber der „Geist", insbesondere der „historische Geist" ersieht sich auch noch an dieser Verzweiflung seinen Vorteil: immer wieder wird ein neues Stück Vorzeit und Ausland versucht, umgelegt, abgelegt, eingepackt, vor allem studiert: — wir sind das erste studierte Zeitalter in puncto der „Kostüme", ich meine der Moralen, Glaubensartikel, Kunstgeschmäcker und Religionen, vorbereitet, wie noch keine Zeit es war, zum Carneval großen Stils,· zum geistigsten Faschingsgelächter und Uebermut, zur transcendentalen Höhe des höchsten Blödsinns und der aristophanischen Weltverspottung. Vielleicht, daß wir hier gerade das Reich unserer Erfindung noch entdecken, jenes Reich, wo auch wir noch Original sein können, etwa als Parodisten der Weltgeschichte und Hanswürste Gottes — vielleicht, daß, wenn auch nichts von heute sonst Zukunft hat, doch gerade unser Lachen noch Zukunft hat!"

Nietzsche, Jenseits von Gut und Böse.

„Na also" höre ich den Mann sagen, der gesichert im Sessel irgend einer Weltanschauung sitzt, „Dada ist also nur destruktiv. Bolchevism in art. Wozu das in einer Zeit, wo Ruhe und Ordnung notwendig ist?" Oder „Was gibt Dada denn eigentlich Positives — wo ist die Leistung?" Oder „Dada ist gegen den Geist"? Das ist leicht gesagt, wenn man keinen Geist hat. „Wofür ist Dada denn eigentlich?" Wer so fragt, ist vom Dadaismus weiter entfernt als irgend ein Tier von erkenntnistheoretischen Grundsätzen. Dada hat das Bedürfnis nach Ruhe und Ordnung längst als eine Eigenschaft von Menschen erkannt, die ein Erleben durch eine Moral bewiesen haben wollen. Dada läßt sich nicht durch ein System rechtfertigen, das mit einem „Du sollst" an die Menschen heranträte. Dada ruht in sich und handelt aus sich, so wie die Sonne handelt, wenn sie am Himmel aufsteigt oder wie wenn ein Baum wächst. Der Baum wächst, ohne wachsen zu wollen. Dada schiebt seinen Handlungen keine Motive unter, die ein „Ziel" verfolgen. Dada gebiert nicht aus sich heraus Abstraktionen in Worten, Formeln und Systemen, die es auf die menschliche Gesellschaft angewendet wissen will. Es bedarf keines Beweises und keiner Rechtfertigung, weder durch Formeln noch durch Systeme. Dada ist die schöpferische Aktion in sich selbst. Dada hat die Erstarrung und das Tempo dieser Zeit aus seinem Kopf geboren — Dada ist eminent zivilisatorisch, aber es hat die Fähigkeit, selbst die Begrenztheit seiner Erscheinung in der Zeit historisch zu sehen, es relativiert sich selbst in seiner Zeit. Dada ist ephemer, sein Tod ist eine freie Handlung seines Willens. Dada hat das Reich der Erfindung entdeckt, von dem Friedrich Nietzsche in jenen oben angeführten Zeilen spricht, es hat sich zum Parodisten der Weltgeschichte und zum Hanswurst Gottes gemacht — aber es ist nicht an sich gescheitert. Dada stirbt nicht an Dada. Sein Lachen hat Zukunft.

IV.

Dies Buch ist eine Sammlung von Dokumenten des dadaistischen Erlebens, es vertritt keine Theorie. Es spricht vom dadaistischen Menschen, aber es stellt keinen Typus auf, es schildert, es untersucht nicht. Die Auffassung der Dadaisten vom Dadaismus ist eine sehr verschiedene: das wird in diesem Buch zum Ausdruck kommen. In der Schweiz war man z. B. für abstrakte Kunst, in Berlin ist man dagegen.

Richard Huelsenbeck (links) und **Raoul Hausmann** (rechts), aufgenommen in Prag zur Zeit ihrer großen internationalen Tournee (Januar bis April 1920).

Der Herausgeber, der von einem höheren Standpunkt parteilos verfahren zu sein hofft, scheut im Einzelnen den Angriff nicht, da der Widerstand von allen Seiten eine Notwendigkeit und Freude seiner dadaistischen Existenz ist. Er freut sich vorher auf den Kritiker, der behaupten wird, „das alles sei schon dagewesen" oder Expressionismus, Futurismus und Cubismus dort gefunden zu haben glaubt, wo der Dadaismus sich darstellt. Der Dadaist hat die Freiheit, sich jede Maske zu leihen, er kann jede „Kunstrichtung" vertreten, da er zu keiner Richtung gehört. Der Herausgeber hofft in diesem Buch zu zeigen, daß Dada nichts mit „Verrücktheit" zu tun hat. In letzter Zeit haben sich viele Verleger aus Geschäftsrücksichten und viele Dichter aus Ehrgeiz des Dadaismus bemächtigt, indem sie durch blödes Gestammel die Aufmerksamkeit der Leute auf sich zu ziehen suchten. Diese Individuen machen aus Dada die Religion ihrer Hysterie, sie verabsolutieren das Nichts ihrer Hohlköpfe. Dada ist eine Angelegenheit für Eingeweihte: quod licet jovi, non licet bovi. Dada lehnt Arbeiten wie die berühmte „Anna Blume" des Herrn Kurt Schwitters grundsätzlich und energisch ab. Ich übergebe dieses Buch dem Publikum einer Zeit, die in ihrer Querköpfigkeit und in ihrem Eigensinn fast eine heroische Geste erreicht hat. Die Zeit ist dadareif. Sie wird in Dada aufgehen und mit Dada verschwinden.

Charlottenburg, im Mai 1920.

Richard Huelsenbeck.

CHRONIQUE ZURICHOISE 1915—1919

par Tristan TZARA.

☛ 1915 — Novembre. Exposition Arp van Rees Mme van Rees, à la Galerie Tanner — grande rumeur des hommes nouveaux voient en papier — et ne voient qu'un monde de cristal-simplicitémétal — ni art ni peinture (Choeur des critiques: „Quoi faire?" Constipation exclusive) un monde de transparencelignepr écision fait des culbutes pour une certaine sagesse prévue brillante.

☛ 1916 — février. Dans la plus obscure rue sous l'ombre des côtes architecturales, où l'on trouve des detectifs discrets parmi les lanternes rouges — NAISSANCE — naissance du **CABARET VOLTAIRE** — affiche de Slodky, bois, femme & Cie, muscles du coeur **CABARET** Voltaire et des douleurs. Lampes rouges, ouverture piano Ball lit Tipperary piano „sous les ponts de paris" Tzara traduit vite quelques poèmes pour les lire, Mme Hennings — silence, musique — déclaration — Fin. Sur les murs: van Rees et Arp, Picasso et Eggeling, Segal & Janco, Slodky, Nadelmann, couleurs papiers, ascendance ART NOUVEAU, abstrait et des cartes-poèmes géographiques futuristes: Marinetti, Cangiullo, Buzzi; Cabaret Voltaire, chaque soir on joue, on chante on récite — le peuple

— l'art nouveau le plus grand au peuple — van Hoddis, Benn, Treß, — balalaïka — soirée russe soirée française, — des personnages en édition unique apparaissent, récitent ou se suicident, va et vient, la joie du peuple, cris, le mélange cosmopolite de dieU et de boRdel, le cristal et la plus g r o s s e femme du monde:

„Sous les pon^{ts} de P^{a}r$_{is}$"

☛ 2 6 f é v r i e r — **ARRIVÉE HUELSENBECK**

p a n ! p a n ! pa-ta-pan

Sans opposition an parfum initial.

Grande soirée — poème simultané 3 langues, protestation bruit musique nègre / Hoosenlatz Ho osenlatz / piano Typerrary Lanterna magica démonstration proclamation dernière!! i n v e n t i o n d i a l o g u e !! **DADA** !! d e r n i è r e n o u v e a u t é!!! syncope bourgeoise, m u s i q u e **BRUITISTE,** dernier cri, chanson Tzara danse protestations — la g r o s s e caisse — l u m i è r e rouge, policemen — chansons tableaux cubistes cartes postales chanson Cabaret Voltaire —ı **p o è m e simultané** breveté Tzara Ho osenlatz et van Hoddis Hü ü l s e n b e c k Hoosenlatz tourbillon A r p - two-step réclame alcool fument vers les cloches / on chuchote: arrogance / silence Mme Hennings, Janco déclaration, l'art transatlantique = peuple se réjouit étoile projetée sur la danse cubiste en grelots.

☛ 1916 — Juin

Publication du

„CABARET VOLTAIRE"

Prix 2 frs.
Imprimerie J. Heuberger*)

Collaborateurs: Apollinaire, Picasso, Modigliani, Arp, Tzara, van Hoddis, Hülsenbeck, Kandinsky, Marinetti, Cangiullo, van Rees, Slodky, Ball, Hennings, Janco, Cendrars, etc. Dialogue DaDada dada dadadadadada la vie nouvelle — contient un poème simultané; la critique carnivore nous plaça platoniquement dans la maison des vertiges de génies trop mûrs. Evite l'Appendicite éponge l'intestin. „J'ai constaté que les attaques venaient de moins en moins et qui veut rester jeune évite les rhumatismes."

Golf thermal mystère

Le Cabaret a duré 6 mois, chaque soir on enfonça le triton du grotesque du dieu du beau dans chaque spectateur, et le vent ne fut pas doux — secoua tant de consciences — le tumulte et l'avalanche solaire — la vitalité et le coin silencieux près de la sagesse ou de la folie — qui pourrait en préciser les frontières? — lentement s'en allèrent les jeunes-filles et l'amertume plaça son nid dans le

*) épuisé.

ventre du père de famille. Un mot fut né, on ne sait pas comment **DADADADA** on **jura amitié sur la** nouvelle transmutation, qui ne signifie rien, et fut la plus formidable p r o t e s t a t i o n, la plus intense affirmation armée du salut liberté juron masse combat vitesse prière tranquillité guerilla privée négation et chocolat du desespéré.

1 9 1 6 — 1 4 J u i l l e t. — Pour la première fois dans tout le monde.

Salle zur Waag

I. DADA-SOIRÉE

(Musique, danses, Theories, Manifestes, poèmes, tableaux, costumes, masques)

Devant une foule compacte, Tzara manifeste, nous voulons nous voulons nous voulons pisser en couleurs diverses, Huelsenbeck manifeste, Ball manifeste, Arp Erklärung, Janco meine Bilder, Heusser eigene Kompositionen les chiens hurlent et la dissection du Panama sur piano sur piano et embarcadère — Poème crié — on c r i e dans la salle, on se bat, premier rang approuve deuxième rang se déclare incompétant le reste crie, qui est plus fort on apporte la grosse c a i s s e, Huelsenbeck contre 200, Ho osenlatz accentué par la très grosse caisse et les grelots au pied gauche — on proteste on crie on casse les vitres on se tue on démolit on se bat la police interruption.

Reprise du boxe: Danse cubiste costumes de Janco, chacun sa grosse caisse sur la tête, bruits, musique nègre / trabatgea bonooooooo oo ooooo / 5 expériences littéraires: Tzara en frac explique devant le rideau, sec sobre pour les animaux, la nouvelle esthétique: poème gymnastique, concert de voyelles, poème bruitiste, poème statique arrangement chimique des notions, Biribum biribum saust der Ochs im Kreis herum (Huelsenbeck), poème de voyelles a a ò, i e o, a i ï, nouvelle interprétation la folie subjective des artères la danse du coeur sur les incendies et l'acrobatie des spectateurs. De nouveau cris, la grosse caisse, piano et canons impuissants,on se déchire les costumes de carton le public se jette dans la fièvre puerperale interomprrrre. Les journaux mécontents poème simultané à 4 voix + simultané à 300 idiotisés définitivs.

1916 — Juillet
VIENT DE PARAÎTRE:
TRISTAN TZARA:
„LA PREMIÈRE
AVENTURE CÉLESTE DE Mr. ANTIPYRINE"
Avec bois coloriés de M. Janco.
Prix: 2 frs.*

pour la première fois:
COLLECTION DADA

cocktail breveté

L'impuissance est guérie d'une façon franco sur demande.

*) Mouvement Dada, Zurich, Seehof, Schifflande 28.

1916 — Septembre

„PHANTASTISCHE GEBETE“

Verse von **RICHARD HUELSENBECK**

mit 7 Holzschnitten von [Arp]
COLLECTION DADA
Zurich *)

„indigo indigo Trambahn Schlafsack Wanz und Floh indigo indigai umbaliska bumm DADAI“

„brrs pffi commencer Abrr rpppi commence Anfang Anfang“

1916 — Octobre

„SCHALABEN SCHALOMAI SCHALAMEZO MAI“

von **RICHARD HUELSENBECK**

mit Zeichnungen von Arp
Collection dada *)

—·— incomparable pour la toilette des bébés! Illustré!

1917 — Janvier — février

GALERIE CORRAY, Bahnhofstr., Zurich.

I. DADA-AUSSTELLUNG

Van Rees, Arp, Janco, Tscharner, Mme van Rees, Lüthy, Richter, Helbig, art nègre, Succès éclatant: l'art nouveau. Tzara fait 3 conférences:

---

*) épuisé.

1/cubisme, 2/art ancien et art nouveau, 3/l'art présent. Grande affiche de Richter, affiche de Janco. Quelques vieilles anglaises prennent soigneusement des notes.

1917 — 17 mars

GALERIE DADA

Direction: Tzara, Ball. 17 mars, Einleitungsworte.

I. Exposition de: Campendonk, Kandinsky, Klee, Mense etc.

1917 — 23 mars

Eröffnungs-Feier

GALERIE DADA

ZÜRICH, BAHNHOFSTR. 19.

Lampes rouges matelas sensation mondaine Piano: Heusser, Perrottet, Récitations: Hennings, A. Ehrenstein. Tzara, Ball, Danses: Mlle Taeuber / costumes de Arp /, C. Walter etc. etc. Grand mouvement giratoire et féerique de 400 personnes en fête.

21 mars, 28 mars, 4 avril und jeden Mittwoch:

Führung durch die Galerie

par L. H. Neitzel, Arp, Tristan Tzara.

CONFERENCES:

24 mars	Tzara: L'expressionisme et l'art abstrait
31 mars	Dr. W. Jollos: Paul Klee
7 avril	Ball: Kandinsky
28 mars	Tzara: sur l'art nouveau

14 avril

II. Veranstaltung der Galerie Dada.

STURM-SOIRÉE

Jarry
Marinetti
Apollinaire
van Hoddis
Condrars
Kandinsky

☛ Heusser, Ball, Glauser, Tzara, Sulzberger, A. Ehrenstein, Hennings etc.

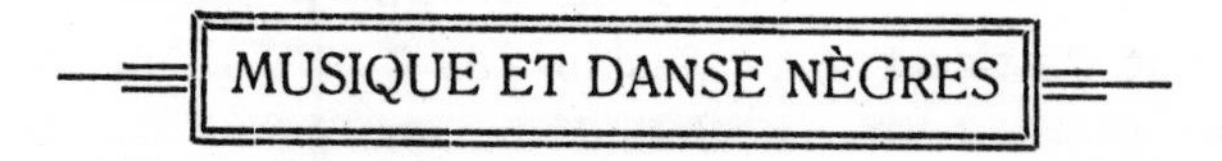

avec le concours de Mlles Jeanne Rigaud et Maya Chrusecz Masques de Janco.

Première:

„SPHINX UND STROHMANN
von O. Kokoschka.

Firdusi
Kautchoucmann
Anima
der Tod

Cette représentation décida le rôle de notre théâtre, qui passera la régie à l'invention subtile du vent explosiv, le scénario dans la salle, régie visible et. moyens grotesques: le théâTRE DADAISTE. Surtout les masques et les éffets de revolver, l'éffigie du régisseur. Bravo! & Bum bum!

9—30 avril

II. EXPOSTION de la GALERIE dada:

Bloch, Baumann, Max Ernst, Feininger, Kandinsky, Paul Klee, Kokoschka etc. etc.

28 avril

SOIRÉE D'ART NOUVEAU

Tzara: froid Lumière,

poème simultané par 7 personnes.

Glauser: eigene Gedichte,

MUSIQUE ET DANSES NÈGRES

Janco: Eigene Bilder.

Mme Perrottet: Musique de Laban, Schönberg etc. Ball, Hennings etc.

F. Hardekopf lit de ses ceuvres.

ETC.

Le public s'accomode et raréfie les explosions d'imbécilité élective, chacun retire ses penchants et plante son espoir dans l'esprit nouveau en formation „Dada".

2—29 mai

III. EXPOSITION DE LA GALERIE DADA

de: Arp, Baumann, G. de Chirico, Helbig, Janco, P. Klee, O. Lüthy, A. Macke, I. Modigliani, E. Prampolini, van Rees, Mme van Rees, von Rebay, H. Richter, A. Segal, Slodky, J. von Tscharner etc.

DESSINS D'ENFANTS
SCULPTURES NÈGRES
BroderieS   ReliefS

1917 — 12 mai

Galerie Dada

Soirés

ALTE UND NEUE KUNST DADA

A. Spa: de Jacopone da Todi à francesco Meriano et Maria d'Arezzo; musique de Heusser, jouée par l'auteur; Arp: Vers, Böhme — von der Kälte Kalifizierung. POÈMES NÈGRES

Traduits et lus par Tzara / Aranda, Ewe, Bassoutos, Kinga, Loritja, Baronga / Hennings, Janco, Ball etc. Aegidius Albertinus, Narrenhatz' Gesang der Frösche.

L'appétit pour le mélange de recueuillement instinctif et de bamboula féroce qu'on réussit à présenter, nous força de donner la.

19 mai

RÉPÉTITION DE LA SOIRÉE
ALTE UND NEUE KUNST

25 mai — SOIREE H. HEUSSER. EIGENE KOMPOSITION. KLAVIER. GESANG. HARMONIUM. REZITATION: Mlle K. Wulff.

1 juin — Vacances illimitées de la Galerie Dada.

1917 — Juillet

on lance le

Création mystérieuse! revolver magique! **MOUVEMENT DADA**

1917 — Juillet

Parution de

DADA 1 recueuil d'art et de litterature *)

Arp, Lüthy, Moscardelli, Savinio, Janco, Tzara, Meriano. Sagesse repos dans l'art médicament, après de longs tracassements: neurasthénie des pages, thermomètres des peintres nommés Les subTiLs.

1917 — décembre

DADA 2 prix: 2 frs.*)

Collaborateurs: van Rees, Arp, Delaunay, Kandinsky, Maria d'Arezzo, Chirico, P. A. Birot, G. Cantarelli etc. etc.

---

*) Edition ordinaire: épuisée, Edition de luxe Frs. 8.— Mouvement Dada, Zurich, Seehof, Schifflande 28.

1918 — juillet vient de paraître:

tristan tzara: 25 poèmes
arp: 10 gravures sur bois
collection dada
prix: 3 Frcs *)

1918 — 23 Juillet

Salle zur Meise

SOIRÉE TRISTAN TZARA

Manifeste, antithèse thèse antiphilosophie, DadA DADA DADA daDa spontanéité dadaïste dégoût dadaïste RIRES poème tranquillité tristesse la diarhée est aussi un sentiment guerre les affaires élément poétique hélice infernale esprit économique jemenfoutisme hymne national affichage pour les bordels on jette des rouliers sur la scène, des clameurs sauvages fulminent contre la raréfaction de l'intelligence universitaire etc.

Septembre 1918

Galerie Wolfsberg

Exposition de Arp, Richter, Mc Couch, Baumann, Janco etc.

---

*) Mouvement Dada — Zurich, Seehof, Schifflande 28.

1918 — Décembre

DADA 3

Prix fr. 1.50*)
Edition de Luxe: 20 frs

libéré l'ordre en liberté recherche de mouvement rotatif contenu „je ne veux même pas savoir s'il y a eu des hommes avant moi" Vive Descartes vive Picabia, l'anti-peintre arrivé de New-York la grande machine de sentiments échec vive dada Dchouang-Dsi le premier dadaïste à bas la mélodie à bAs le futur (Reverdy, Raimondi, Hardekopf, Huelsenbeck, Picabia, Prampolini, Birot, Soupault, Arp, Segal, Sbarbaro, Janco, Richter, Dermée, Huidobro, Savinio, Tzara, y ont collaboré). Detruisons soyons sages faisons la nouvelle gravitation NON = OUI Dada ne signifie rien la vie Qui? catalogue d'insectes / les bois de Arp / chaque page une ressurection chaque oeil un salto mortale à bas cubisme et futurisme chaque phrase une trompe d'automobile mélangeons mélangeons confrères la salade bourgeoise dans le bassin l'éternel est insipide et je hais le bon sens.

Ici intervient / saluez! /

{ *Novissima d anzatrice* }

Dr. W. Serner ATTRACTION!

qui a vu proprement et ecrasé les punaises entre les méninges des comtes de la bonté

*) Mouvement Dada, Zurich, Seehof, Schifflande 28.

Mais la mécanique tourne.
tournez tournez Baedeker nocturnes de l'histoire
brossez les dents des heures
circulez messieurs
le bruit casse rébus pharmaceutiques.

1918 — 31 Décembre

Arp ☚

les colonnes des jambes couchées le phénomène en carton danse cratère gramophone succéssion de lumières dans le noir cocktail surprises pour les amoureux et progression fox-trot maison Flake, Wigmann, Chrusecz, Taeuber, la folie en centimètres exaspération problematique et visuelle

première libre mise en pratique de la
spontanéité dadaïste
coloriée
et
chacun son propre cheval de bataille.

1919 — janvier

Exposition de Picabia, Arp, Giacometti, Baumann,
Ricklin etc.
au KUNSTHAUS.

☛ 1919 — 16 janvier

KUNSTHAUS

Conférence de Tzara „SUR L'ART ABSTRAIT“
avec projections
où l'on vit des professeurs arrangeant l'insaisissable

dans des tiroirs de carrés cuits à l'huile d'assassin les applaudissements de la Bonne-Volonté et l'explication du Boumboum, le véritáble, par le manque de paysage chapeau poisson dans les tableaux s'échappant des cadres. Infusion de lentes bactéries sous les veines frileuses.

1919 — février

Vient de paraître

/ Edition Mouvement Dada /

391 Prix 2 frs.*)

revue en voyage / New-York — Barcelone / Gabrielle Dada Manifeste Buffet Alice Bailly, Arp l'éternel fera une exposition de racines d'arbres de Venise, Picabia, PICABIA, The Blind Man, Ribemont-Dessaignes, Tzara, Duchamp etc.

1919 — 9 Avril

Non PLUS ultra

NON PLUS ULTRA

Salle Kaufleuten

9. DadA-SOIRÉE

Metteur en scène: W. SERNER

Dompteur des acrobates: *TZARA*

---

*) Mouvement Dada, Zurich, Seehof, Schifflande 28.

des signes crucifixe d'impatience brume de soupçons étincelles d'inquiétude montrèrent leurs dents canins 2 semaines avant le spectacle et la réclame se répandit sur le pays maladie aigue.

1500 personnes remplirent la salle qui bout déjà dans la boue des bamboulas.

Voilà Eggeling qui relie le mur à la mer et nous dit la ligne propre d'une peinture à venir; et Suzanne Perrottet joue Erik Satie (+ récitations), ironie musicale non-musique du jem'enfoutiste l'enfant gaga sur la merveille échelle du MOUVEMENT DADA. Mais Mlle Wulff qui paraît / surhumaine masque ½ °/o §? / pour accentuer la présence de Huelsenbeck et de ses poèmes. RiRes (commencement) les bonbons font impression un seul fil passe par le cerveau des 1500 spectateurs. Et lorsqu'on ouvre la scène ombragée, devant 20 personnes récitant le poème simultané de Tr. Tzara: „LA FIEVRE DU MALE" le scandale devient menaçant des îles se forment spontanément dans la salle qui accompagnent et multiplient soulignent le geste puissant de hurlement et l'orchestration simultanée. Signal du sang. Révolte du passé, de l'éducation. „Fiacre fiévreux et 4 craquements âcres et macabres dans la baraque." Sous les ponts de Paris. Dans l'orago amoniaque une écharpe est apportée à l'auteur par Alice Bailly et Augusto Giacometti.

Richter élégant et malicieux: POUR coNtre et sANs DADA, du pont de vue Dada télégraphie et mentalité dada etc. dada. dada dada. Arp lance la pompe de nuages sous l'ovale énorme, brûle le caoutchouc, la pyramide poêle pour les proverbes marécageux ou clairs dans les poches de cuir. Serner prend la parole pour éclairer son

MANIFESTE dadaïste

et voilà, lorsque: „une reine est un fauteuil un chien est un hamac" le déclanchement du tumulte ouragan vertige syrène sifflets bombardement chanson la bataille commence aigue, la moitié de la salle applaudit les protestateurs tiennent la salle dans les poumons des nerfs se liquéfient les muscles sautent Serner se moque par des gestes, acchroche le scandale à la boutonnière / férocité qui tord le cou / Interruption.

Des chaises arrachées projectiles craquements effet attendu atroce et instinctif.

NOIR CACADOU, Danse (5 personnes) avec Mlle Wulff, les tuyaux dansent la rénovation des pythécantropes sans tête, asphyxie la rage du public. La balance de l'intensité s'incline vers la scène. Serner présente à la place de ses poèmes un bouquet de fleurs aux pieds d'un mannequin. Tzara empêché de lire la **PROCLAMATION DADA** la salle en délire, la voix en lambeaux traîne sur les candelabres, folie progressive sauvage tortille le rire et l'audace. Répetition du spectacle antérieur. Nouvelle danse dans 6 masques énormes et éblouissants. Fin. Dada a réussi d'établir le circuit d'inconscience absolue dans la salle qui oublia les frontières de l'éducation des préjugés, sentit la commotion du NOUVEAU.

Victoire définitive de Dada

1919 — Mai — **ANTHOLOGIE DADA** (DADA 4-5)

Dernière Nouveauté

Prix: 4 Frs.*)

Edition de luxe: 20 Frs.*)

Pétards reveil-matin Piacabia, pile électrique Picabia Tzara calendrier sonnerie 3 pièces faciles Cocteau note sur la poésie sage-femme Globe Giacometti Reverdy 199 Globe Tohu-bohu Radiguet triangle catastrophe p. a. Birot, Hausmann magique dernière nouvelle TNT Arp Aa 24 Arp en sections asphodèle prépuce hibou chauffeur de taxi G. Ribemont Dessaignes au hazard des mots en fonction de sacedoce Gabrielle Buffet MAM VIVier receveur de contributions dada André Breton le fantassin Chirico roule de tout son long la statue Dada Louis Aragon invente des rues Ph. Soupault Eggeling Richter l'oiseau joli tambour Huelsenbeck, splendeurs Hadekopf et Serner-SERNER-ser sert le câblogramme L'art est mort etc.

Inaugure les différentes couleurs pour la joie du deséquilibre transchromatique et le cirque portatif

*) Mouvement Dada, Zurich, Seehof, Schifflande 28.

vélodrome de sensations camouflées tricotage anti-art le pissat du courage intégral diversités divertissantes sous la dernière vibration cosmopolite.

1919 — Juin — Duel fictif Arp + Tzara à la Rehalp avec canons mais dans la même direction devant des invités pour célebrer une victoire privée bleuâtre.

1919 — Octobre —

Vient de paraître:

DER ZELTWEG

Les dadaïstes arrivent! Prix 2 frs.*)

Collaborateurs: O. Flake, Huelsenbeck, Christian Schad, Serner, Arp, Tzara, Giacometti, Baumann, Helbig, Eggeling, Richter, Vagts, Taeuber, Wigmann, Schwitters etc.

Les dadaïstes arrivent!!

Le Néo-Dadaïsme Attention aux pick-pockets very much È pericoloso

Tr. Tzara.

Il a paru jusqu'au 15 Oct. 8590 articles sur le dadaisme dans des journaux et revues de: Barcelone, St. Gallen, New-York, Rapperswill, Berlin, Varsovie, Mannheim, Prague, Rorschach, Vienne, Bordeaux, Hambourg, Bologna, Nuremberg, Chaux-de-fonds,

*) Mouvement Dada, Zurich, Seehof, Schifflande 28.

Colmar, Jassy, Bari, Copenhague, Bucarest, Genève, Boston, Frankfurt, Buda-Pest, Madrid, Zurich, Lyon, Bâle, Christiania, Berne, Napoli, Köln, Sevilla, Münich, Rome, Horgen, Paris, Effretikon, Bern, London, Innsbruck, Amsterdam, Santa-Cruz, Leipzig, Lausanne, Chemnitz, Rotterdam, Bruxelles, Dresden, Santiago, Stockholm, Hannover, Florenza, Karlsruhe, Venezia, Waschington etc. etc.

Eine dadaistische Privatangelegenheit.*)

Als Hugo Ball, Tristan Tzara und Richard Huelsenbeck im Frühling des Jahres 1916 in Zürich den Dadaismus gründeten, konnten sie nicht voraussehen, daß sich später ein gerissener Irrenhausinsasse ihrer Idee bemächtigen würde, um für seine kleinen Zwecke daraus Kapital zu schlagen. Richard Huelsenbeck gab im März 1918 den ersten Dadaisten-Abend. Dieser Abend war eigentlich eine Veranstaltung der Dichter Max Herrmann-Neiße und Theodor Däubler und des leider später zu einer gewissen Notabilität gelangten Vortragskünstlers und Damenlieblings Hanns Heinrich von Twardowsky. Es gelang damals Herrn Huelsenbeck am Anfang des Vortragsabends in einer Rede zu erklären, daß das Gebotene als eine Propaganda und eine Huldigung einer neuen Bewegung, des Dadaismus aufzufassen sei. Es gab großen Lärm, da die Dichter Herrmann und Däubler

*) Der Herausgeber erklärt sich mit dem moralisierenden Ton dieses Aufsatzes nicht einverstanden.

lieber gestorben wären, als sich mit Dada einverstanden erklärt hätten. Sie gaben am folgenden Tag einen Protest in die Zeitungen, der großes Aufsehen erregte. Dada wurde sofort von allen Blättern spaltenlang besprochen und ging in kurzer Zeit durch die Presse von ganz Deutschland. Zu dieser Zeit war Johannes Baader, der spätere „Oberdada“ und Präsident des Weltalls noch Architekt oder Schneidergeselle oder Friseurgehilfe, jedenfalls ein bourgeoiser Narr, der in einer Berliner Vorstadt sich damit beschäftigte, Tagebücher und Aufrufe für Menschheiten und andere imaginäre Persönlichkeiten zu verfassen. Die große Berühmtheit verdankt das deutsche Dada dann dem von Huelsenbeck, Hausmann und Groß im April 1918 in der Berliner Sezession gegebenen Monstre-Abend. Die Presse schwoll an wie das Meer zur Zeit des Neumonds, einige Kritiker, z. B. ein Herr Kauder (kleiner Schreibling von der B. Z. am Mittag) gerieten in Weißglut. Es war sehr schön. Wie Herr Baader zum Dadaismus gekommen ist, weiß er selbst nicht. In seinem Buch „Der Oberdada“, welches eine in kirchlichen Rhythmen aufgezogene Münchhausiade darstellt, die sein Leben sein soll, will er den Dadaismus 1896 in Zürich erfunden haben, als er dort, man weiß nicht was, tat und arbeitete. Er singt davon wie ein besoffener Organist („schwarze Wolke über dem See liegend — Feuerwerk-Sonne, die auf dem Cabaret Dada brennt“) höhere Mächte, Not, Engel spielen eine große Rolle: der Mann hat schon das Repertoire zur Verfügung, mit dem er später unter dadaistischer Maske viel Geld zu kassieren hoffte. Man muß sich von vorne herein darüber klar sein, daß diese Person Baader, die im Dom eine Rede hielt, in der Nationalversammlung Dada-Reklamezettel abwarf, nebenbei das Aeußere eines behäbigen schwäbischen Pastors oder Kleinbürgers hat, mit dem Fimmel der Gottseligkeit kleine Geldgeschäfte zu machen sucht. In einem Brief an seinen Vater vom 11. August 1899 heißt es bezeichnenderweise: „und mache das Gottgeheimnis kund ... denn wenn ich von meinem Verleger 30 000 Mark für meine Schrift will, so . . ." Im August 1899 saß er zum ersten Mal im Tollhaus. Das besagt ja weiter nichts und man wird keinen Menschen deswegen verurteilen, aber der „Oberdada" bringt seine Erlebnisse in Romanform unter die Leute. Es interessiert das Publikum, wenn man in Irrsinn macht, und dazu religiöser Schwindel — als Christus-Imitator: das ist einfach glänzend. Man muß nur verstehen, die Konjunktur auszunutzen. Dada kam Herrn Baader, nachdem er einmal begriffen hatte, um was es sich handelt, wie gerufen. „Er hatte", wie es heißt, „seine Aufgabe in der Menschheit erkannt und strebte rücksichtslos danach sie auszuführen." Bis jetzt mußte er sich damit begnügen, die Jungfrau Maria zu besingen und von den Leuten für ein Idiot gehalten werden, was ihm wenig einbrachte und überhaupt seinen Ehrgeiz und seiner kleinbürgerlichen Sucht nach Ruhm und Ehre nicht entsprach. Er versuchte zwar manchmal durch einen besonderen Coup, Geld und Aufmerksamkeit seiner Mitmenschen in das Feld seines biblischen Magnetismus zu ziehen, aber es gelang ihm nicht. Er spielte mit wechselndem Geschick Statistenrollen bei Hagenbeck in Hamburg, bei einer Magdeburger Bau- und Creditbank. Er überraschte die Mitwelt mit dem Vorschlag einen neuen Turm von Babel zu bauen. Er agierte abwechselnd als Prophet, Heiland und Bettelmönch und war dem Hungertode nah, als sich ihm eines Tages Dada als Möglichkeit bot, die Pläne einer gesicherten Lebensführung zu verwirklichen. Mit Dada trat er gewissermaßen auf die Erde herab. Die Engelstaffage, den Gott-Donner und die Christus-Schminke konnten ja bleiben für alle Fälle (die Reklame-Reserven können nie groß genug sein). Baader hat mit dem Dadaismus nichts zu tun, weder hinsichtlich seiner Gründung noch in Bezug auf die repräsentative Vertretung der dadaistischen Idee. Baader ist immer Pastor und Weltverbesserer geblieben, d. h. er hat im Grunde seine eigene Lage zu verbessern gesucht. Dada steht jeder Weltänderung verständnislos gegenüber; Ideen und Dinge sind für den Dadaisten nur Symbole. Baader ist ein ins Kirchliche geschraubter Kleinbürger; er hat immer versucht mit Dada seine Miete zu bezahlen oder seiner Frau einen Unterrock zu kaufen. Dieser Mann, der schon in den Herbst seines Lebens eintritt, machte den Versuch, Dada in Oldenkotts Pastorentabak umzuwandeln. Er brachte die Atmosphäre „nur ein Viertelstündchen". Dada hat

Johannes Baader
hielt im November 1918 die berühmte Rede im Berliner Dom und warf im Juli 1919 dadaistische Propagandaschriften in der Nationalversammlung ab.

dagegen durchaus weltmännischen Charakter, Dada ist das Produkt internationaler Hotelfoyers, Dada ist auf dem Bouleward Sewastopol so gut zu Haus wie in der Calle Arenal und Unter den Linden. Es war fast rührend zu sehen, wie dieser „Präsident des Weltalls", dieser Prophet und Bartkartoffel-Asket sich den Tendenzen von Dada dadurch anzupassen suchte, daß er sich die Ohren wusch und die Nägel beschnitt. Es ist ihm trotz alledem nicht gelungen. Der Dadaismus hat diesen Narren endgültig abgehängt. In seiner Not und in seinem Fanatismus („Du sollst die Welt heil machen") ernannte er sich selbst zum „Oberdada" — ganz aus der Untertanenvorstellung seiner dunkeln Herkunft heraus, daß irgendwo ein Unteroffizier sein muß, wenn einige Menschen gemeinsam etwas unternehmen. Ein irrsinniger Ehrgeiz, überall als Oberdada und Macher des Ganzen aufzutreten, die ungeheure Angst, auch diesen Anschluß wieder zu versäumen und dann als Querkopf zu sterben, ohne seine Heilandspläne wenigstens für seine eigene Tasche realisiert zu haben, machten ihn zu einer unerträglichen Mischung aus Betbruder und Kleinbürger. Er war der eigentliche Bluffer aus Unsicherheit, der Ekstatiker des leeren Geldbeutels, ein Kentaur aus Narr und Geschäftsmann. Er hat mit großen Quaderworten und Unendlichkeitsrythmen den Himmel auf die Erde zu ziehen versucht, um dem Publikum gegen ein hohes Eintrittsgeld ein seltenes Schauspiel zu geben, aber er hat es nie verstanden, dem Dadaismus auch nur in kleinsten praktischen Dingen nützlich zu sein. Er war es, der denjenigen unter dem Publikum entgegenkam, die Dadaismus mit Verrücktheit gleichsetzen. Ein Kurt Schwitters auf Heiland frisiert, ein Dilettantengehirn mit kosmischen Unterhosen. Seinen Hauptschlag gegen Dada, mit dem er die berühmten Führer Huelsenbeck und Hausmann zugleich zu erledigen hoffte, tat er in Prag auf der großen Dada-Tournée, als er eine halbe Stunde vor Beginn einer Vorstellung vor 3000 Personen unter Mitnahme der Manuskripte die Flucht ergriff. Dieser feige Akt eines Desperados, dem die einfachsten Regeln der Kameradschaft unter den Prinzipien seiner Nützlichkeit stehen, sollte Hausmann und Huelsenbeck (die zu zweien und ohne Manuskripte nach Baaders Ansicht das Programm nicht ausführen konnten) der Wut eines schon wochenlang durch Riesen-Reklame aufgeregten Publikums aussetzen. Die Gründe für diese Handlungsweise lagen in der Tatsache, daß der „Oberdada“ überall, wo er auftrat, sogleich als Schneidergeselle entlarvt wurde. Außerdem hatte er in Teplitz (wo die letzte Vorstellung gewesen war) in einem Bordell sehr wider seinen Willen und unter moralischen Abwehrgesten das Geld versoffen, mit dem er seine Miete und seiner Frau einen Unterrock bezahlen wollte. Diese Tatsachen hatten in der Seele des Pseudochristus und Präsidenten eine solche Leere, ein wahres cavum cranii, erzeugt, daß er seinen Bart, sein Brevier und seine Schweißfüße unter den Arm nahm, um Prag mit Berlin zu vertauschen. Hinzu kam eine reelle Angst, diese Vorstellung in Prag würde, wie das schon oft passiert war (z. B. Dresden), mit einer großen Keilerei enden und er könnte hierbei sein Leben lassen, ohne die Zusicherung einer Auferstehung in der Tasche zu haben.

Nun ist er gestorben. Frieden seiner Asche! Vive Dada! Hans Baumann

Was wollte der Expressionismus?

Er „wollte" etwas, das bleibt für ihn charakteristisch. Dada will nichts, Dada wächst. Der Expressionismus wollte die Verinnerlichung, er faßte sich als Reaktion gegen die Zeit auf, während der Dadaismus nichts anderes als ein Ausdruck der Zeit ist. Dada ist in der Zeit als das Kind dieser Epoche, die man beschimpfen kann, die sich aber nicht wegleugnen läßt. Dada hat die Mechanisierung, die Sterilität, die Erstarrung und das Tempo dieser Zeit in seinen großen Schoß aufgenommen, es ist am Ende nichts anderes und unterscheidet sich in nichts hiervon. Der Expressionismus ist keine Spontan-Aktion. Er ist die Geste der müden Menschen, die aus sich heraus wollen, um die Zeit, den Krieg und das Elend zu vergessen. Hierzu erfanden sie sich die „Menschlichkeit", gingen skandierend und Psalmen absingend durch die Straßen, in denen die rollenden Treppen fahren und die Telephonapparate schrillen. Die Expressionisten sind naturabgewandte, müde Menschen, die der Grausamkeit der Epoche nicht ins Gesicht zu sehen wagen. Sie haben es verlernt, tapfer zu sein. Dada ist die Tapferkeit in sich selbst, Dada exponiert sich der Gefahr seines eigenen Todes. Dada stellt sich in die Dinge hinein. Der Expressionismus wollte sich vergessen, Dada will sich behaupten. Der Expressionismus war harmonisch, mystisch, engelisch, Baadrisch-Oberdadaistisch — Dada ist das Geschrei der Bremsen und das Gebrüll der Makler an der Chicagoer Produktenbörse. Vive Dada!

dadaistisCHes manIFest*)

Die Kunst ist in ihrer Ausführung und Richtung von der Zeit abhängig, in der sie lebt, und die Künstler sind Kreaturen ihrer Epoche. Die höchste Kunst wird diejenige sein, die in ihren Bewußtseinsinhalten die tausendfachen Probleme der Zeit präsentiert, der man anmerkt, daß sie sich von den Explosionen der letzten Woche werfen ließ, die ihre Glieder immer wieder unter dem Stoß des letzten Tages zusammensucht. Die besten und unerhörtesten Künstler werden diejenigen sein, die stündlich die Fetzen ihres Leibes aus dem Wirrsal der Lebenskatarakte zusammenreißen, verbissen in den Intellekt der Zeit, blutend an Händen und Herzen.

Hat der Expressionismus unsere Erwartungen auf eine solche Kunst erfüllt, die eine Ballotage unserer vitalsten Angelegenheiten ist?

---

*) erstes Dada-Manifest in deutscher Sprache; verfaßt von Richard Huelsenbeck, vorgetragen auf der großen Berliner Dada-Soirée im April 1918.

Nein! Nein! Nein!

Haben die Expressionisten unsere Erwartungen auf eine Kunst erfüllt, die uns die Essenz des Lebens ins Fleisch brennt?

Nein! Nein! Nein!

Unter dem Vorwand der Verinnerlichung haben sich die Expressionisten in der Literatur und in der Malerei zu einer Generation zusammengeschlossen, die heute schon sehnsüchtig ihre literatur- und kunsthistorische Würdigung erwartet und für eine ehrenvolle Bürger-Anerkennung kandidiert. Unter dem Vorwand, die Seele zu propagieren, haben sie im Kampfe gegen den Naturalismus zu den abstrakt-pathetischen Gesten zurückgefunden, die ein inhaltloses, bequemes und unbewegtes Leben zur Voraussetzung haben. Die Bühnen füllen sich mit Königen, Dichtern und faustischen Naturen jeder Art, die Theorie einer melioristischen Weltauffassung, deren kindliche, psychologisch-naive Manier für eine kritische Ergänzung des Expressionismus signifikant bleiben muß, durchgeistert die tatenlosen Köpfe. Der Haß gegen die Presse, der Haß gegen die Reklame, der Haß gegen die Sensation spricht für Menschen, denen ihr Sessel wichtiger ist als der Lärm der Straße und die sich einen Vorzug daraus machen, von jedem Winkelschieber übertölpelt zu werden. Jener sentimentale Widerstand gegen die Zeit, die nicht besser und nicht schlechter, nicht reaktionärer und nicht revolutionärer als alle anderen Zeiten ist, jene matte Opposition, die nach Gebeten und Weihrauch schielt, wenn sie es nicht vorzieht, aus attischen Jamben ihre Pappgeschosse zu machen — sie sind Eigenschaften einer Jugend, die es niemals verstanden hat, jung zu sein. Der Expressionismus, der im Ausland gefunden, in Deutschland nach beliebter Manier eine fette Idylle und Erwartung guter Pension geworden ist, hat mit dem Streben tätiger Menschen nichts mehr zu tun. Die Unterzeichner dieses Manifests haben sich unter dem Streitruf

DADA!!!!

zur Propaganda einer Kunst gesammelt, von der sie die Verwirklichung neuer Ideale erwarten. Was ist nun der DADAISMUS?

Das Wort Dada symbolisiert das primitivste Verhältnis zur umgebenden Wirklichkeit, mit dem Dadaismus tritt eine neue Realität in ihre Rechte. Das Leben erscheint als ein simultanes Gewirr von Geräuschen, Farben und geistigen Rhytmen, das in die dadaistische Kunst unbeirrt mit allen sensationellen Schreien und Fiebern seiner verwegenen Alltagspsyche und in seiner gesamten brutalen Realität übernommen wird. Hier ist der scharf markierte Scheideweg, der den Dadaismus von allen bisherigen Kunstrichtungen und vor allem von dem FUTURISMUS trennt, den kürzlich Schwachköpfe als eine neue Auflage impressionistischer Realisierung aufgefaßt haben. Der Dadaismus steht zum erstenmal dem Leben nicht mehr ästhetisch gegenüber, indem er alle Schlagworte von Ethik, Kultur und Innerlichkeit, die nur Mäntel für schwache Muskeln sind, in seine Bestandteile zerfetzt.

Das **BRUITISTISCHE Gedicht**

schildert eine Trambahn wie sie ist, die Essenz der Trambahn mit dem Gähnen des Rentiers Schulze und dem Schrei der Bremsen.

Das **SIMULTANISTISCHE Gedicht**

lehrt den Sinn des Durcheinanderjagens aller Dinge, während Herr Schulze liest, fährt der Balkanzug über die Brücke bei Nisch, ein Schwein jammert im Keller des Schlächters Nuttke.

Das **STATISCHE Gedicht**

macht die Worte zu Individuen, aus den drei Buchstaben Wald, tritt der Wald mit seinen Baumkronen, Försterlivreen und Wildsauen, vielleicht tritt auch eine Pension heraus, vielleicht Bellevue oder Bella vista. Der Dadaismus führt zu unerhörten neuen Möglichkeiten und Ausdrucksformen aller Künste. Er hat den Kubismus zum Tanz auf der Bühne gemacht, er hat die BRUITISTISCHE Musik der Futuristen (deren rein italienische Angelegenheit er nicht verallgemeinern will) in allen Ländern Europas propagiert. Das Wort Dada weist zugleich auf die Internationalität der Bewegung, die an keine Grenzen, Religionen oder Berufe gebunden ist. Dada ist der internationale Ausdruck dieser Zeit, die große Fronde der Kunstbewegungen, der künstlerische Reflex aller dieser Offensiven, Friedenskongresse, Balgereien am

Gemüsemarkt, Soupers im Esplanade etc. etc. Dada will die Benutzung des

neuen Materials in der Malerei.

Dada ist ein **CLUB,** der in Berlin gegründet worden ist, in den man eintreten kann, ohne Verbindlichkeiten zu übernehmen. Hier ist jeder Vorsitzender und jeder kann sein Wort abgeben, wo es sich um künstlerische Dinge handelt. Dada ist nicht ein Vorwand für den Ehrgeiz einiger Literaten (wie unsere Feinde glauben machen möchten) Dada ist eine Geistesart, die sich in jedem Gespräch offenbaren kann, sodaß man sagen muß: dieser ist ein DADAIST — jener nicht; der Club Dada hat deshalb Mitglieder in allen Teilen der Erde, in Honolulu so gut wie in New-Orleans und Meseritz. Dadaist sein, kann unter Umständen heißen, mehr Kaufmann, mehr Parteimann als Künstler sein — nur zufällig Künstler sein — Dadaist sein, heißt, sich von den Dingen werfen lassen, gegen jede Sedimentsbildung sein, ein Moment auf einem Stuhl gesessen, heißt, das Leben in Gefahr gebracht haben (Mr. Wengs zog schon den Revolver aus der Hosentasche). Ein Gewebe zerreißt sich unter der Hand, man sagt ja zu einem Leben, das durch Verneinung höher will. Ja-sagen — Nein-sagen: das gewaltige Hokuspokus des Daseins beschwingt die Nerven des echten Dadaisten — so liegt er, so jagt er, so radelt er — halb Pantagruel, halb Franziskus und lacht und lacht. Gegen die ästhetisch-ethische Einstellung! Gegen die blut-

George Grosz (links) und **John Heartfield** (rechts)
demonstrieren gegen die Kunst zugunsten ihrer Tatlinistischen Theorien
(anläßlich der Dada-Ausstellung im Juni 1920).

leere Abstraktion des Expressionismus! Gegen die weltverbessernden Theorien literarischer Hohlköpfe! Für den Dadaismus in Wort und Bild, für das dadaistische Geschehen in der Welt. Gegen dies Manifest sein, heißt Dadaist sein!

Tristan Tzara. Franz Jung. George Grosz.
Marcel Janco. Richard Huelsenbeck. Gerhard Preiß.
Raoul Hausmann. Walter Mehring.

O. Lüthy. Fréderic Glauser. Hugo Ball.
Pierre Albert Birot. Maria d'Arezzo. Gino Cantarelli.
Prampolini. R. van Rees. Madame van Rees.
Hans Arp. G. Thäuber. Andrée Morosini. François
Mombello-Pasquati.

Kritiken aus allen Zeitungen der Welt:

Berliner Mittagszeitung, 6. Mai 1919: Kurz und gut, Dada kann sagen: „Das Schlimmste weiß von mir die Welt und ich kann sagen, ich bin besser als mein Ruf", Dada? Jeder denkt: Nana! Ich aber rufe diesmal: jaja —.

Udo Rukser: Dadaismus als Kampf, als Polemik ist der Protest des Künstlers gegen das Bildungsideal des Philisters, der in der allgemeinen Schulpflicht den Gipfel aller Kulturleistung sieht; ist die Rache des Künstlers am Bourgeois dafür, daß er ihn immer hat hungern und leiden lassen und unter das Joch seiner Borniertheit und kümmerlichen Lebensführung und -ansicht hat beugen wollen; ist die Peitsche, mit der er ihn aus seiner bequemen Genießerruhe schreckt . . . Dadaismus ist eine Strategie, wie der Künstler dem Bürger etwas von seiner inneren Unruhe, die ihn nie in Gewohnheit einschlafen läßt, mitteilen, wie er den Erstarrten durch äußere Beunruhigung zu neuem Leben aufrütteln will, um ihm den Mangel an innerer Not und Bewegung zu ersetzen. Dem steht der Bürger fassungslos gegenüber; er hat nichts, woran er sich halten könnte, nicht einmal ein Wort, denn Dada — bedeutet nichts. Dadaismus ist also keine Richtung: es ist die Bestätigung eines Selbständigkeitsgefühls, eines Mißtrauens gegen die Gesellschaft, gegen alles Heerdenhafte, ist der Protest gegen die Chinesierung des Menschen, gegen seine Umwandlung aus einer Bestie in ein zahmes Haustier blauäugiger Sanftheit mit möglichst großen Hörnern.

Basler Nachrichten, April 1919: Man pfiff, schrie, warf kleine Geldstücke, Orangenschalen und Schimpfworte auf die Bühne und stampfte mit Füßen und Stühlen. Man muß trotz allem die Ruhe des Redners bewundern, der inmitten dieses Hagels und Lärms unbeweglich sitzen blieb, ja sogar zweimal versuchte, sich Gehör zu verschaffen, bis er schließlich mit einer nicht mißzuverstehenden verächtlichen Geste abzog, der er die Krone an Unverschämtheit aufsetzte, als er später, anstatt die im Programm angeführten „eigenen Gedichte" zu lesen (auf die man allerdings gern verzichtete), eine schwarze Kleiderpuppe auf die Bühne trug, ihr ein Rosenbukett zu riechen gab und es ihr dann vor die Holzfüße legte. Daß nach dieser unglaublichen Verhöhnung des Publikums es nicht zu Tätlichkeiten kam, ist wohl nur der allgemeinen Verblüffung zuzuschreiben . . . ein Skandal, von dem alte Züricher behaupten, sich nicht erinnern zu können, jemals einen ähnlichen erlebt zu haben.

Otto Flake in der „Vossischen Zeitung" vom 17. 7. 1919: Dada ist etwas mehr als der Import des Kuhschwanzes in die Literatur, es ist eine Art Philosophie und eine Art geistiger Bewegung. Dada ist dasselbe wie einst die berühmte und wenig verstandene romantische Ironie — eine Aufhebung. Aufgehoben wird der Ernst, nicht nur des Lebens, sondern auch jeder auf dem Gebiet der Weltanschauung, der Literatur und Kunst gefundenen Idee . . . es ist der Zustand des durchgeführten Relativismus und des souveränen Skeptizismus.

Alfred Kerr im „Roten Tag": Ulk mit Weltanschauung.

Glaser im „Berliner Börsenkurier" vom 1. 5. 1919: Aber auch in diesem kindischen Spiel wohnt ein tieferer Ernst. Nach der Ausstellung der Dadaisten sollte die Welt vorsichtiger geworden sein. Man kann hier lernen, daß man auch wagen darf, wieder zu lachen, wo man sich bisher oft durch die feierlichen Mienen der Esoteriker schrecken ließ und die großen Worte, die so billig geworden sind, daß sich jeder rechtschaffene Mensch schämen muß, sie noch zu gebrauchen, sollten wieder seltener gebraucht werden.

Franz Schulz im „Prager Tagblatt" vom 7. 6. 1919: Das Publikum drängt sich an die Bühne. Die Dadaisten hetzen. Sie schreien: „Koche mit Gas! Wasche mit Luhns! Bade zu Hause! Nieder mit dem Mehrheitsdada!" Plötzlich: Huelsenbeck ist mit der Kasse durchgegangen! Chaos.

Christian Science Monitor, Boston: Another new literature it appears has arisen in Switzerland proud of the rather surprising name of Dadaism, and although a correspondent writes to a European paper, „Unfortunatly we haven't been able to find out what Dadaism means", he gathers an impression that it stands for

„literary nihilism and a complete want of interest in social organi sation".

Neues Winterthurer Tagblatt: Wir lehnen diesen Bolschewismus in der Kunst so glatt ab wie den Bolschewismus überhaupt.

Le Siècle, Paris: Tristan Tzara va venir publier à Paris deux numéros de la Revue Dada qu'il dirige en Suisse et qui fait scandale. J'y trouve simplement l'atmosphère excitante de l'entr'acte au Casino de Paris, ou une foule cosmopolite se presse pour entendre les Jazz-Band. Si on accepte les Jazz-Band (dont l'ancêtre est notre brave homme d'orchestre) il faut accueuillir aussi une littérature que l'ésprit goute comme un cocktail. (J. Cocteau.)

L'Eclair, Paris: Il ne manquera pas de bons esprits qui ne gouteront que à demi ces hardies anticipations esthétiques. Blamons-les et louons selon nos moyens le dadaisme et ses fidèles. Il n'est pas mauvais d'avoir son dada. Et il est excellant que les jeunes dadas soient à l'avant de la caravane. Il en reste assez de vieux à l'arrière. Souvenons-nous des sots officiells qui riaient de bon coeur devant les précurseurs des symbolistes et des impressionistes. Aimons ici l'outrance: elle est signe de santé. Elle est signe de jeunesse. (F. Poncetton.)

Weser-Zeitung, Bremen: Heute ist Wirrwarr das Zeichen der Zeit, heute ist das Zeitalter des dadaistischen Gestammels.

Tagesanzeiger, Zürich: Zum Glück erklären die Dadaisten selbst ziemlich unverhohlen, daß sie nur Schindluder treiben.

La Tribuna, Rom: Seppelliamo come roba vecchia, il cubismo et il futurismo e facciamo ala al dadaismo che avanza a marce trionfali. Tristan Tzara non pote leggere le sue opere e del suo proclama dadaista non fu possible capire che alcuni brani. L'altro campione del movimento in parola, il poeta Serner, cerco di leggere un manifesto ma il baccano sali alle stelle.

Berliner Tageblatt: Ja, da die Welt in Zukunft zweifellos sich nur in Pro- und Kontra-Dadaisten teilen wird (was zugleich die einfachste Lösung des europäischen Problems wäre), taucht nun die Frage auf, welches eigentlich die richtigen Dadaisten sind.

Le Nouveau Rhin Francais, Colmar: Le babaisme ou dadisme, ou gagaisme est une nouvelle école littéraire née à Zurich désireuse de dépasser cubisme et futurisme.

Humanitas, Bari: Tra il povero vechio Rolland deccorato di premio Nobel e questi artisti spregiudicati, come sono piu coraggiosi e simpatici .uesti anarchici senza patria. (F. Meriano.)

Neue Zürcher Zeitung: Wenn eine Pariser Zeitung sie „die Bolschewisten der Kunst" genannt hat, so ist sie im allgemeinen im Recht; ebenso aber auch der Pariser „Eclair", in dem François

Poncetton urteilt, daß Dada auch Prosa und Versstücke enthalte, welche Anspruchsvollste befriedigen können. (Dr. J. Keller.)

La Lanterne, Paris: Paris qui s'ennuie, Paris triste, Paris morose, devrait bien appeller à lui les dadaistes.

Neues Wiener Journal: Es ist eben nicht jeder in der Lage, neue Richtungen und neue Ideen zu verstehen. Weil es noch viele gibt, die vorziehen, in alter gewohnter Weise zu denken.

Eclair, Paris: Le mot „DADA" symbolise le rapport le plus primitif pour la réalité environnante. Avec le dadaisme, une nouvelle réalité entre dans ses droits.

Der Landbote, Winterthur: Es ist heute noch eine Schande, daß es Leute gab, welche dem offenkundigen Blödsinn in großen Zeitungen Interesse widmeten.

New-York Tribune: But we will await to see wheather all that can be ‚embodied', just as we will wait to see the ‚unheard of new possibilities and forms of expression of all arts' which „dadaism" ostensibly is to give us . . . For the present the whole „dada" movement, which is now trying with its propaganda evenings to captivate the youths and maidens, is only an object of mirth.

Oui, Paris: . . . Pourquoi Dada? On ne sait pas . . .

Der Bund, Bern: Es war mir klar geworden, daß hier eine moderne Kunstströmung in ihrer letzten Auswirkung sichtbar wurde und in der unbegreiflichen Einfalt ihrer Aeußerungen immer noch den Willen in sich trug, aufbauend und kulturschaffend zu wirken.

Rorschacher Zeitung: Die Hauptsache ist, daß mit allen vorhandenen Kulturgütern rücksichtslos gebrochen wird.

New-York Times (Editorial Section): . . . Dadaists have their own idea of beauty. They are young, insolent, looking on Victor Hugo and all the great name of French literature with that scornful superiority wherewith a thousand weavers of free verse contemplate Tennyson. Besides, how they do love to „take a fall out of the bourgeois-épater is their word of it. A school of poetry which has produced a masterpiece like Mr. Vincente Huidobro's The Cowboy on the Violin String Crosses the Ohio" might look for plaudits instead of hisses at Zurich or anywhere else. Because, as Dada mystically says, the Dadaists are „sharpening wings in order to conquer" and disseminate little a, b, c", must they be accuse of throwing bombs at literature and society? In the fine art of advertising their genius should oe admitted even by their enemies.

Le Faubourg, Paris: . . . les nobles gestes en quoi se manifeste l'action esthétique de ce chevalier de latrines.

Die Neue Bücherschau, München: Zürich schenkte im Krieg der Welt den Dadaismus.

berlin simultan

erstes Original-dada-couplet*)
für Richard Huelsenbeck
von WALTER MEHRING

Im Autodreß ein self-made gent!
Passage frei! Der Praesident!
Die Heilsarmee
Stürmt das Café!
Ein Jeistprolet verreckt im Dreck
Ein girl winkt mit dem Schottenband
Ein Kerl feilscht am Kokottenstand
Her mit'm Scheck
Schiebung mit Speck
Is alles schnuppe!
Komm süße Puppe!
Ob Keilerei
Jeknutsch'
eins zwei drei
Rrrutsch
    mir den Puckel lang
        Puckel lang

Der Berolina
Kutsch auf dem Schuckelstrang
„Jroße Ballina"
Berlin Berlin
Bei Mutter Jrien
Kann jeder mang Kann jeder mang Kann jeder mang

---

*) Aus dem Buch „Das politische Chanson" (Kaemmerer-Verlag, Dresden), in Musik gesetzt von Felix Hollaender.

Das Volk steht auf! Die Fahnen raus!
Bis früh um fimfe kleine Maus
Im Ufafilm
Hoch Kaiser Wil'm!
Die Reaktion flaggt schon am Dom
Mit Hakenkreuz und Blaukreuzgas
Monokel kontra Hakennas
Auf zum Pogrom!
Beim Hippodrom!
Is alles Scheibe
Bleibt mir vom Leibe
Mit Wahljeschrei
Und Putsch
Eins zwei drei
Rrrutsch
mir den Puckel lang
Puckel lang

Der Berolina
Kutsch auf dem Schuckelstrang
„Jroße Ballina"
Berlin Berlin
Die Rot'n und die Jrien'n
Berlin zieht blank Berlin zieht blank Berlin zieht blank!

Wem nie jelang der jroße Wurf
Bei Börsenbaisse beim jrünen Turf
Wer nie sich fiehlt,
Und Lude spielt,
Die Juden raus! Die Bäuche rein!
Mit Yohimbin zum Massenmord

Hoch national der Klassenhort
Vom Fels zum Meer und Leichenstein
Allens det Jleiche
Biste erst Leiche!
Wozu't Jeschrei!
Und futsch
Eins zwei drei
Rrrutsch
mir den Puckel lang
Puckel lang
Der Berolina
Kutsch auf dem Schuckelstrang
„Jroße Ballina"
Liegste im Jrien'n
Pfeift oben Berlin
Die Rasenbank Die Rasenbank Die Rasenbank.

Manifest Cannibale Dada

von Francis Picabia.

Uebersetzt aus dem Französischen von Alexis.

Ihr seid alle in Anklagezustand versetzt: erhebt Euch! Man kann nur mit Euch reden, wenn Ihr steht.

Steht, als hörtet Ihr die Marseillaise, die russische Nationalhymne oder das God sav the King. Steht, als hättet Ihr die Fahne vor Euch. Oder als wäret Ihr vor Dada, welches Leben bedeutet und Euch anklagt, alles aus Snobismus zu lieben, wenn es nur sehr teuer ist.

Ihr habt Euch alle wieder hingesetzt? Um so besser, dann werdet Ihr mich mit erhöhter Aufmerksamkeit anhören.

Was macht Ihr hier, eingepfercht wie ernsthafte Schalentiere — denn Ihr seid ernsthaft, nicht wahr?

Ernsthaft, ernsthaft, ernsthaft bis zum Tod.

Der Tod ist eine ernsthafte Sache, was?

Man stirbt als Held oder als Idiot, was auf dasselbe herauskommt. Das einzige Wort, das mehr als Tageswert hat, ist das Wort Tod. Ihr liebt den Tod, den die anderen sterben.

A mort, bringt sie um, laßt sie verrecken!

Nur das Geld stirbt nicht, es reist nur ein wenig fort.

Das ist Gott! Ihn verehrt man, eine ernsthafte Persönlichkeit — Geld, das ist die Kniebeuge ganzer Familien. Hoch das Geld — es lebe! Der Mann, der Geld hat, ist ein ehrenhafter Mann.

Ehre kauft sich und verkauft sich wie — das Gesäß. Das Gesäß repräsentiert das Leben wie die pommes frites und ihr alle mit Euerer Ernsthaftigkeit stinkt schlimmer als Kuhdreck.

Was Dada angeht: es riecht nicht, es bedeutet ja nichts, gar nichts.

Dada ist wie Euere Hoffnungen: nichts
wie Euer Paradies: nichts
wie Euere Idole: nichts
wie Euere politischen Führer: nichts
wie Euere Helden: nichts
wie Euere Künstler: nichts
wie Euere Religionen: nichts.

Pfeift, schreit, zerschlagt mir die Fresse — und was bleibt dann? Ich werde Euch immer sagen, daß Ihr blöde Hammel seid. In drei Monaten werden wir, meine Freunde und ich, Euch unsere Bilder für einige Franken verkaufen.

Ô

von Georges Ribemont-Dessaignes.
Uebersetzt aus dem Französischen von Alexis.

Er setzte seinen Hut auf den Boden und füllte ihn mit Erde
dann säete er mit dem Finger eine Träne hinein.
Eine große Geranie wuchs daraus, ach so groß.
Unter dem Blätterwerk reiften zahllose Kürbisse.
Er öffnete seinen Mund, der voller goldplombierter Zähne war, und sagte:
I grec!
Er schüttelte die Zweige der Babylonischen Weide, die die Luft erfrischte —
und seine schwangere Frau zeigte ihrem Kind durch die Haut ihres Bauches das Horn eines totgeborenen Mondes.
Er setzte auf seinen Kopf den Hut, der aus Deutschland importiert worden war.
Die Frau kam mit einer Frühgeburt nieder, deren Urheber Mozart war
Unterdessen jagte ein Harfenspieler in einem abgeblendeten Auto dahin
und mitten im Himmel fraßen Tauben, ach so süße mexikanische Tauben: — Kanthariden.

VOLATA

nel sole
/ il primo sole dopo giorni e giorni senza fine di
pioggia /
io
come viva e come inebriata alla fresca aria che mi
fruge nel collo e nei polsi in discreta --
ho stradinariamente vigile il senso del mio corpo
sottile
fascio di nervi vibranti elasticamente à son aise
nell'ampia tunica bleu cendre —
il sole mi apre a ventaglio sul capo una raggiera
d'oro come i santini —
ho le ali —
ma potrei anche incastonarmi in quel duro cielo lassù
die lucida maiolica azzura come una madonnina
bianca —
superati ormai tutti i problemi: oggi io sono vera-
mente io —
il mio viso con la sua bocca rossa si slancia in cima
al corpo agile e si orienta a un'offerta come si slancia
e si orienta una rosa in cima al suo stelo —
amico mio, afferra l'attimo stendi la mano e coglimi —
ho ucciso tutti i problemi perchè io sono io —
al diavolo la selbstbespielung e tutti
i sfismi —
je veux vivre, j'ai seulement une envie folle de vivre
— voilà tout —

(Napoli) Maria d'Arezzo

MAORI

TOTO-VACA

1.

ka tangi te kivi
kivi
ka tangi te moho
moho
ka tangi te tike
ka tangi te tike
tike
he poko anahe
to tikoko tikoko
haere i te hara
tikoko
ko te taoura te rangi
kaouaea
me kave kivhea
kaouaea
a-ki te take
take no tou
e haou
to ia
haou riri
to ia
to ia ake te take
take no tou

2.

ko ia rimou ha ere
kaouaea
totara ha ere
kaouaea
poukatea ha ere
kaouaea
homa i te tou
kaouaea
khia vhitikia
kaouaea
takou takapou
kaouaea
hihi e
haha e
pipi e
tata e
apitia
ha
ko te here
ha
ko te here
ha
ko te timata
e-ko te tiko pohue
e-ko te aitanga a mata
e-te aitanga ate hoe-manuko

3.
ko aou ko aou
h i t a ou e
make ko te hanga
h i t a ou e
tourouki tourouki
paneke paneke
oioi te toki
kaouaea
takitakina
ia
he tikaokao
he taraho
he pararera
ke ke ke ke
he parera
ke ke ke ke

ETYOMONS

n o t s o
DA DI ME
OMA DO RE TE
ZI MATA DURA
DI O.Q DURA
TI MA TOITURA
DI ZRATATITOILA
LA LA LAR-R-RITA
LAR-R-RITA
LAR-R-RITA
I l o v e y o u
PN
ZAZZ
O Ma QU
RRO RRO
RU K
ASCHM ZT
PLGE
ZR KRN NMTOTO
NM E SHCHU
KM NE SCU

mi o do ré mi mi o
„marmelade"

(New-York)

Adon Lacroix

KARAWANE

jolifanto bambla ô falli bambla
grossiga m'pfa habla horem
égiga goramen
higo bloiko russula huju
hollaka hollala
anlogo bung
blago bung
blago bung
bosso fataka
ü üü ü
schampa wulla wussa ólobo
hej tatta gôrem
eschige zunbada
wulubu ssubudu uluw ssubudu
tumba ba- umf
kusagauma
ba - umf

(1917)
Hugo Ball

Zur Theorie des dadaismus

von Daimonides.

I.—

> Les hommes sont si necessairement fous, que ce serait être fou par un autre tour de folie de n'être pas fou.
>
> — PASCAL,
>
> Pensées, sect. VI. 414.

Trotz der über alles Erwarten enormen Verbreitung der dadaistischen Bewegung über alle Erdteile bedarf es bei der Beurteilung des wirklichen Erfolges der unaufhaltsam und unbeirrbar vorwärtsdrängenden Weltbewegung wohlüberlegter skeptischer Zurückhaltung. Was bisher noch fast gänzlich fehlt, ist wirkliches Verständnis für die dadaistischen Bestrebungen. Es genügt nicht die Kesselpauke und Kindertrompete, zwar wichtige und tiefsinnige Symbole, für das Wesentliche zu halten; rechtes Verständnis des Dadaismus setzt durchaus ernstliche Beschäftigung mit nahezu allen Gebieten des Lebens, der Metaphysik, der Psychologie, Kunst usw. voraus.

Der Lehrbegriff des Dadaismus verlangt prinzipielle Einsicht in die durchgängige Irrelevanz der empirischen Welt, inklusive aller Ideologie; eben diese Subsumption pflegt den Menschen jedoch die größten Schwierigkeiten zu machen; sie haben es darauf abgesehen, knatterige Fetischisten ihrer Idole bedingungslos zu bleiben, höchstens mit ihnen ab und zu zu wechseln.

II.— Homo homini dada.

— DAIMONIDES,
Cogitata, XIII, 1497d.

Hier kann nur der Dadaismus helfen.

Der geeignetste Technizismus, dessen er sich hier bedienen kann (auf den er aber nicht ausschließlich angewiesen ist), ist der der parodischen, zynischen oder satirischen Darstellung des Wirklichen. Von dieser Darstellung des Wirklichen hat die Oeffentlichkeit ersichtlich einen völlig unzureichenden Begriff, wenn sie (wiederum die Ausdrucksmittel zu wichtig nehmend) das Tuten der Megaphone und das Stimmengewirr des simultanistischen *poème bruitiste**) für einen im Grunde leicht zu praktizierenden Spaß hält.

Dadaistische Darstellung erfordert in Wahrheit ernstes und wirkliches Eindringen in die Idee der Sache.

Es ist durchweg immer die wirkliche Welt, die in der dada-Kunst erscheint. Wer das Bellen der Seekühe, die Arien der Troglodyten nicht vernimmt, wer die Warnungstelegramme des metaphysischen Iguanodons in den Wind schlägt und das alles für leere Phantasmen hält, hat noch viel zu lernen, ehe er für den Dadaismus reif ist.

Es ist nichts als der streng adäquate Ausdruck der Wirklichkeit in ihrer Idee, wenn der Dadaismus z. B. Menschen darstellt, wie sie, mit Würde und

---

*) Hier verwechselt der gelehrte Autor poème bruitiste mit poème simultané. Anm. d. Herausg.

Entrüstung *aneinander vorbeiredend,* sich mit heiligem Ernst den jeweils heillosesten Schwindel vormachen. Der Dadaismus liefert davon das getreue, wiewohl in instruktiver Absicht oft schematisierte, aber nie in der Anlage verzeichnete Abbild.

III.—

> Der große Magier legt die Tomaten auf seine Stirn . . . .
>
> — HUELSENBECK-dada, Phantastische Gebete, p. 29.

Die Lebensansicht des Dadaismus wird jeder möglichen Transzendenz streng gerecht. Sein Horopter ist durchaus universell; daher ist es ein schon häufig von berufener dadaistischer Seite gerügtes Mißverständnis, DADA beschränke sich auch technisch etwa darauf, eine Kunstrichtung zu sein.

Der Dadaist ist ebenso Künstler wie Aalanbeter, ebenso *globe-trotter* wie Metaphysiker, ebenso Mantiker wie Geschäftsmann.

Er sieht die Welt *„sub specie dadaitatis"*, d. h. unanfechtbar richtig, auch wenn er es darauf (als auf einen immerhin menschlichen Wunsch) garnicht abgesehen haben sollte. Rückhaltlos spielt er mit der linken Hand seine Madagaskar-Harfenflöte, denkt mit der Kniescheibe (links) an das Problem der Anwendung der Kategorienlehre auf die vergleichende Erotik und sitzt gleichzeitig mit dem *gyrus praecentralis* einer seiner Großhirnhemisphären im *grillroom* des Salondampfers, in welchem er vielleicht seine Sommerreise in die Abruzzen macht.

IV.—

> Mein friend war eine doctor in de City ... und handelte mit *epilepsy* and *phenomena* ....
>
> — BEN-dada.
> Selected Sermons, 14th of july 1919.

Das im Dadaismus so häufige Absurde, ja Tintamarresque, will in seiner Bedeutung wohl verstanden sein. Bei dem schon erwähnten durchgängig streng erkenntniskritischen Aspekt des Dadaismus weist es hin auf universelle, kosmische apriorische Antinomien, gehört also unzertrennlich zur Methode der dadaistischen Kosmographie. Die denkerischen Vorzüge aller kohärenten Systematik weiß er dabei sehr wohl scherzhaft zu würdigen, er kennt und er erlebt jedoch inniglich ihre sozusagen lediglich arbeitshypothetische Fiktivität.

Das geht unwiderleglich hervor aus allen dadaistischen Aeußerungen, nicht etwa nur aus ihrer Literatur und Kunst, sondern auch aus den Abenteuern dadaistischer Missionare in Feuerland, den grausamen Dadaistenverfolgungen über den Atlantic durch den antidadaistischen Detective Rüblhuber, sowie endlich aus den überaus anerkennenden Worten, mit denen einer unserer bedeutendsten Papierindustriellen seinerzeit den Welt-Dada und Geheimen Zentralrat der Dadaistischen Bewegung in seinem Salon willkommen hieß: „Wissen Sie, mein Herr, der Dadaismus, der hat mir gerade noch gefehlt!“

V.—

.... prorsus credibile est, quia ineptum est; .... certum est, quia impossibile.
— TERTULLIAN,
de carne Christi, c. V.

Die Menschen sind, wie die Erfahrung lehrt, mit einer nützlichen oder angenehmen Sache (einer Lebensweisheit, einem Hosenträger, einem *cocktail* etc.) nie ganz zufrieden, ehe sie nicht zumindest eine Moral, womöglich aber eine Religion daraus gemacht haben.

Der Dadaismus mußte aus diesem, von ihm nicht verschuldeten, Sachverhalt, notgedrungen in seiner Exekutive die unausweichlichen Konsequenzen ziehen.

Es war der Oberdada BAADER selbst, der sich dies Gebiet der dadaistischen Geistesarbeit besonders angelegen sein ließ. Unermüdlich reiste er als Zauberer und Wundertäter, Wahlkandidat, Architekt und Kirschbaumzüchter durch diese immer unmißverständlichere Welt, um sie von seiner dadaistischen Sendung zu überzeugen. Diesem großen Zwecke scheint auch sein zeitweiliger Tod gedient zu haben, soweit sich die Teleologie derartiger Phänomene übersehen läßt.

Aber das verstockte Volk, irregeleitet durch die verschiedensten Wahnvorstellungen, wie es nun einmal ist, traktierte ihn mit Prügeln und unangemessenen Schimpfreden, in der völlig undadaistischen Illusion, es tue damit etwas anderes als rein dadaistisch zu reagieren.

VI.—

Οὔτε τὶ τῶν ἀνθρωπίνων ἄξιον μεγαλῆς σπουδῆς.

— PLATON,
Rep. X, 640.

Der Dadaismus ist die späte, sogar eigentlich die verspätete Erkenntnis eines Zeitalters inbetreff der eigenen Bedeutung. Darüber hinaus ist er die notwendig am Ende aller Kulturen in der jeweiligen „Formensprache" (SPENGLER) sich einstellende pralaya, deren manvantara eben jene vorherige Entwicklung war. Diese termini aus der indischen Esoterik sind hier in ihrer vollen Prägnanz zu verstehen. Ohne daß er sich darauf etwa irgend etwas Besonderes zugute täte oder anders als mit parodischer Pedanterie daraus seinerseits wieder eine „Religion" machte, ist es die analytische Funktion des Dadaismus, mit den längst zu einem ragenden Wahnsystem schreckhaft erstarrten Grundvorstellungen einer Welt radikal aufzuräumen, sie auf Null zu reduzieren, sie aufzulösen in das in jenen Phänomenen bereits wieder zu ahnenden, weil noch latenten, *ἄπειρον* der Indifferenz, es münden zu lassen in jenes *mare tenebrarum* unübersehbarer Sinnlosigkeit, die in anschaulicher Metaphorik nur durch abstruseste Absurditäten und letzthinnigen Irrsinn darstellbar ist.

Es ist der unentrinnbare „Dadatropismus" in der Zeittendenz, der hier seinen Ausdruck findet.

VII.— Mais rien ne peut exister, si l'on raisonne.
— HUYSMANS,
La-bas. p. 85.

Der Dadaismus lehrt gewissermaßen das Ideologisieren etc. in „allgemeinen“ — an sich also gehaltlosen und unbestimmt gelassenen — Größen; eine Technik, die als solche vergleichbar ist mit der Rechnung mit allgemeinen Buchstabengrößen (statt mit bestimmten, „natürlichen“ Zahlen), wie sie seit VIËTA und DESCARTES in der Algebra allgemein üblich geworden ist.

Keine Methode erscheint hier wie dort geeigneter zu zeigen, wieweit man mit den beiderlei Praktiken überhaupt kommt, als wie diese verallgemeinernde. Nur daß das Resultat in Bezug auf die Arithmetik wesentlich günstiger ausfällt, als in Bezug auf jegliche Ideologie, mit deren wirtschaftlichen und psychologischen **Profitlern** der Dadaist nunmehr scharf ins Gericht gehen und aufräumen könnte, wenn er es auf Weltverbesserung oder Aehnliches abgesehen hätte.

Dies ganz eigenartige **Welt-désinteressement** in seiner Einstellung ist das, was den Dadaisten vom **Pseudo-Dadaisten** unterscheidet. Letzterer verwendet nur manchmal die Mittel des Ersteren, um ***für*** oder ***gegen*** irgend etwas Objektives „vorzugehen“. Daran liegt dem wahren Dadaisten garnichts.*) Ebensowenig verfolgt er melioristische und

*) Alle Einmischung des Dadaismus in Zeitfragen hat nur paradigmatische Bedeutung.

utilitaristische Zwecke. Wem durch die dadaistische Leistung genützt ist, der lasse sich diesen Nutzen nicht entgehen. Dem Dadaisten war es nicht darum zu tun; er bekommt sein Honorar auch ohne das. Etre ***dadais,*** c'est loin d'être ***dada.***

— Aber es ist nicht meine Aufgabe, eine ***dadadicée*** zu schreiben. —

VIII.—

— und er kann wieder umkehren und werden wie ein Kindlein.

— — — — — — — — — — — — —

— — — — — — — — — — — — — —

und er kann wieder umkehren zum Ungewordenen.

— LAOTSE,
Taoteking, I, 28.

Probleme wie die der Liebes-Erotik und des Todes beurteilt der Dadaist mit milder Konzilianz. In den Köpfen der Menschen haben sie zwar nach seiner Meinung ihre Esoterik am unrechten Fleck. Doch würde er auch in diesem Punkte prinzipiell zu einer Verständigung bereit sein.

Der Dadaist hat mit diesem Leben und dieser Welt abgeschlossen. Er hat akkordiert zu 50 %. Er geht durch diese Welt als ***distinguished foreigner,*** auf dem Kopfe die kameelshärene Sportmütze, in der Hand Feldstecher und sein PHANTASTIC PRAYER-BOOK, in das er mit schlichten palmyrenischen Ziffern seine Prozente notiert. **Rückhaltlos** verzehrt er dann schlimmstenfalls den Hax'n eines Schleierschweins in Madeira.

Zum Selbstmord fehlen ihm lediglich die Motive. (Die haben ihm gerade noch gefehlt!)

An den Menschen läßt er kein gutes Haar als das, welches er in ihnen gefunden hat.

Der STEIN DER WEISEN, den man ihm in den Weg gelegt hatte, ist ihm vom Herzen gefallen.

DAIMONIDES.

Sensationell **Sensationell**

Enthüllungen

Historischer Endsport mit Pazifistentoto.

Walter Mehring.

ΔΙΚΑΙΟΣ ΛΟΓΟΣ
ΑΔΙΚΟΣ ΛΟΓΟΣ

ΑΔ. φέρε δήμοι φρασον
συνηγοροῦσιν ἐκ τίνων;
ΔΙΚ. ἐξ εὐρυπρώκτων. *ΑΔ.* πείθομαι.
τί δαί; τραγῳδοῦσ' ἐκ τίνων;
ΔΙΚ. ἐξ εὐρυπρώκτων. *ΑΔ.* εὖ λέγεις.
δημηγοροῦσι δ' ἐκ τίνων;
ΔΙΚ. ἐξ εὐρυπρώκτων. *ΑΔ.* ἆρα δῆτ'
ἔγνωκας ὡς οὐδὲν λέγεις;
καὶ τῶν θεατῶν ὁπότεροι
πλείους σκόπει. *ΔΙΚ.* καὶ δὴ σκοπῶ.
ΑΔ. τί δῆθ' ὁρᾷς;
ΔΙΚ. πολὺ πλείονας, νὴ τους θεούς,
τοὺς εὐρυπρωκτους.

Die Popularität einer Idee resultiert aus der Verfilmungsmöglichkeit ihres Anekdotenschatzes. Der Dadaismus als Weltprinzip, das heute in Weimar putscht, morgen die Brotkarte „Goethe“ ausgibt und übermorgen beim Scheich ul Islam Hammelbraten luncht, füllt die Kinokassen der kommenden Saison. In Irrenhäusern und maisons de santé gehen aber noch täglich Menschen an der Fiction zu Grunde, es handle sich um eine ästhetische Kunstrichtung, die man im Anhang der Literaturgeschichten unter „Unsere Jüngsten" oder in Seitenkabinetten von Novembergruppen suchen müsse. Daher präge man sich schon jetzt den Satz ein:

DADA ist das zentrale Gehirn, das die Welt auf sich eingestellt hat.

Er wird bereits in der ersten Dynastie DADA in allen Schulen, auf Tag- und Nachtgeschirren, Museen etc. den Denkspruch: Feste druff! ersetzen. Seit seine Balkanabteilung *) (Hausmann-Tzara) mit dem Wiener Bankverein und der italienischen banca Commerciale das albanische interregnum starteten und seine Missionstätigkeit unter den schiitischen Bektatschis begann, dämmert die Erkenntnis selbst im schlichten Börsenjobber: Vertreter dieser Riesenbewegung sind nicht in einem Plausch à la Eckermann, noch weniger in Hardenköpfen oder den beliebten: Wie Ich-Wurde politischer Provinz-Stars zu erschöpfen.

Die Annalen des Club DADA bestimmen die Denkarbeit vieler Generationen, die zum ersten Male rein praktisch jede Möglichkeit von Weltkriegen nimmt. Sie führt die Erde bis zur

transzendenten Pollution

im Geiste des Dadaismus.

---

*) Siehe Piesecke: Çircoscrizioni deï communi del regno d'Italia e DADA,

Während man augenblicklich Deutschland wie eine Zwiebel enthäutet,*) um schließlich hinter sein verschämtes Nichts zu kommen, zieht die doppelte dadaistische Buchführung den Strich einer neuen Zeitrechnung, deren Berechnung zwar auf seine Initiative in den astrologischen Observatorien Chinas und Berlins geschah, deren Realität aber im Erlöschen des traditionellen Kulturkomplexes einsetzt.

Le monde est mort, vive le monde.

Aus der Asche der Gelehrten und Theologen, die sich noch um den Primäraffekt: Bibel oder Darwin prügeln, erhebt sich unser Phönix-Doppeldecker Dada mit der Forderung zur neuen historischen Einstellung (Weitergehen, Nicht Stehenbleiben!). Der Praedada umfaßt die Blamage des Jahrhunderts, das unfähig war, das zwanzigste zu werden. Europa ahnungslos fraß literarische Mürbekuchen, obgleich die Massengräber schon vor der Tür standen. Besessene taumelten zwischen der Christian science und dem monistischen Jahrhundert. Aus den Fäkalien der Großen krochen ellenlange Bandwürmer in die Bibliotheken und in Schlesien dichtete ein Hauptmann mit zwei Köpfen. Eine Schlafkrankheit mit ethischen Trancezuständen und psychoanalytischen Träumen (die Gono-ismen als Erreger in den Expressionen der unbefleckten Selbstbefruchtung) verheert die gesamte europäische Geisteswelt. Da

*) Siehe Jahrbuch für Gynäkologie (1919): „Die Unschuld des Kaisers" und: Ebert: Ein Jahr im Sattel der deutschen Republik.

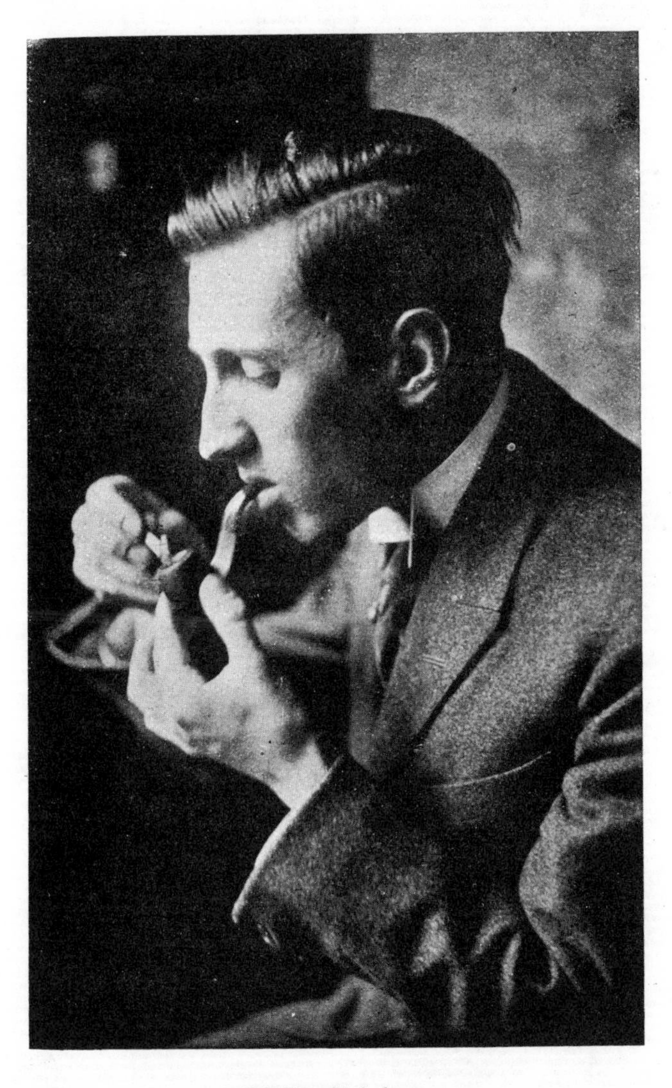

Walter Mehring,

der unter dem Namen Walt Merin für Dada in Japan und China Propaganda machte. (Aufgenommen im Juli 1920.)

braust von den Schweizer Bergen der Ruf wie Donnerhall etc. und in Mailand spricht Eusepia Palladino das Wort Dada.*) Der blonde Messias Mr. Richards Wilson-Boche verschiebt das langbehütete europäische Gleichgewicht in den Brennpunkt seines orthozentrischen Monokels. Aus den Tresors der Intelligenz sind die Geheimmittel tausendjähriger Kulturen geraubt. Die Kunstbörsen stellen ihre Zahlungen ein. Geheiligte Throne fahren Karroussell. In den Villenvierteln der Kapitale weissagt der Architekt der blauen Milchstraße. Kaum ist die Schrekkensnachricht von Serajewo verhallt, schon stampfen die Rotationsmaschinen der gesamten Presse den Ukas des Cabaret Voltaire, ein antitektonisches Ecrasez l'infâme. Die Nationen der östlichen Hemisphäre antworten mit dem Hottentottengebrüll aus den bedrohten Tiefen ihrer kasernalen Krals. Dada lächelt zum Weltkrieg einzig im Besitz der Formel zur Nutzbarmachung angehäufter Geistigkeit. Die Menschen erfrieren mit unterbundener Nabelschnur ihrer gottgewollten Abhängigkeiten, die Christusse sterben zu Tausenden den Opfertod, aber der Platz am Kreuze bleibt unbesetzt. Denn einzig Dada erfand die Synthese des modernen Wesens: l'homme bruitiste sur la base simultane, den samsaro mit Handbetrieb, das aromantische Kataklisma von Asien in Amerika.

---

*) C. Lombroso (Nachlaß): Sur les rapports metaphysiques du Dadaïsme et spiritisme. (Handschriftlich im Archiv Dada.)

Der Weltmarsch startet in der Arena der futuristischen Gegenwart. Eines Tages hält eine schlichte Limousine vor dem Weimarer Goethe-Haus, hinter dem Ganz-Deutschland die Glanznummer auf dem klassischen Sorgenstuhl verschläft. Inmitten seiner Anhänger prüft der berühmte Weltumsegler Walt Merin den 2-Zylinder-Motor. Im Mundwinkel rückt die Shag-pfeife an und das Startband fällt zur **transasiatischen Expedition DADA.** *) Asien ist das moderne Importland für Mystik und Askese. Es beliefert die Wiener Werkstätten mit Mustern. Die Literaturgeschichte mit Ideen überhaupt. Die Einwohner bedienen sich dagegen teils des Bumerangs teils goldener Käfige, in denen sie ihre Dichter bis zum (wörtlichen) Platzen überfüttern. Seit H. H. Ewers dort sein Monokel verlor, droht es, ein zweites Italien zu werden, das unsere Geistesherosse bis zur Unkenntlichkeit befruchtet hat.

Die Beziehungen des gebildeten Europäers zu andern Zeiten und Ländern basieren auf der sadistischen oder masochistischen Triebhaftigkeit seines Christentums. Er ist der Transvestit par excellence. Die Gotik wird tränenden Augs zerschossen, um in Mietskasernen ihre renaissance zu feiern: Germanentum, Romanentum prügeln sich um den Messias jüdischer Herkunft. Sie brüllen Kant, wenn sie Luther meinen und Ethik statt Dada.

---

*) Merin: In der Opellimousine von Weimar bis Fesan-pô.

Sie sammeln die Skalpe des Negers und kriechen in seine Schurzfelle.

Sie gehen nach Asien, um ihre Nekrophilie zu befriedigen.

Sie können aber bis zum Nordpol rennen und werden sich den Schädel an Dada einbeulen.

Ein Land ist reif für den Dadaismus, wenn es ihn versteht oder ableugnet. Indifferenz ist die oberste Todsünde. Was schert mich Weib, was schert mich Kind, Buddhismus, Pietät. Oder der Fakir — hast du Worte? — hält den Herzschlag an. Oder Kipling, der Mann mit der Wolfszunge. Und Goethes Faust oder der Hintern des La—o—tse. Das ist gehuppt wie gesprungen. Aber Farbe bekennen to be da — da or not to be DADA où la vie die Entscheidung auf der Luna-klinge. Deine Rede aber sei Da da und was darüber ist, nenn's Kunst, nenn's ethisch, metaphysisch, kallipygos, die Firma bleibt: Schall und Rauch.

Dada treibt Politik, wie man müllert.

Die Eroberung Asiens schmerzlos ohne Blaukreuz allein mit dem Rekordbrecher. Die Expedition beginnt am 30. August unter Glockengeläute der Schlacht von Tannenberg und endet in die Glanztage der ebertinischen Stuhlbesteigung. Sie löst in wenigen Monaten spielend die schwierigsten Aufgaben wie 1. Auffindung der Quellen der Steinerschen Theosophie, 2. Versuche mit Einimpfung von Antipsychin (Dadalymphe).

3. Herstellung des 11½stündigen Pathé-freres-Films (the greatest image of the world).

Bild 1. Walt Merin, der Leiter der Expedition, wird von Unterarzt Hülsenbeck auf Tropenfähigkeit untersucht. Seine Leutseligkeit: er klopft dem Monistenwachtmeister Ostwald (ältesten etatsmäßigen) auf die Schulter.

Bild 2. Die Opellimousine 606 und ihr Erbauer.

Bild 3. Nach Osten! Walt Merin als Gast des siegreichen Hauptquartiers in Ortelsburg. Oberst v. Brausemüller begrüßt ihn als schneidigen „Sänger von Tsingtau".

Bild 4. Ueberschreitung der Feuerlinie. Soirée Dada im Kreml. Besichtigung der Tolstoischen Gemüsezucht. Illuminierung der Uspenski-Kathedrale mit Magnesia-Wunderkerzen. Sympathie-Telegramme an Andrew Carnegie, das Prager Rabbinat und den Präsidenten des Erdballs.

Bild 5. Die Ostasiatische Gesellschaft protestiert gegen die Verhunzung asiatischer Kultur durch Dadaismus. Deutsche bei der Verfertigung von Hindenburgflaschen in den Konzentrationslagern von Krasnojarsk. Ein Gruß aus der Heimat! Leutnants der dritten Husaren brechen bei den Grammophonklängen von der schönen neuen grauen Felduniform in Tränen aus.

Bild 6. Die Wüste Gobi in bengalischer Beleuchtung. Wettlauf der Eingeborenen um den Kleistpreis und das E. K. II. Der Phallus des 67-jährigen Shintopriesters Tu-fu-tsin. Iinrikischakulis bestaunen Merin bei seiner morgendlichen Dadagymnastik. Begrüßung in Peking durch den Dadalai-Lama zur Stiftung eines Hausmannschen Klebetriptychons. Aufführung von Simultangedichten im Lung-fu-ße-Tempel.

(Grammophoneinlage.)

235 Chinesen, darunter 37 Straßenkehrer, musizieren auf ihren Gongs. Der Klang von 40 aneinanderschlagenden Gauklerschädeln. Walt Merin gibt seine Kasernenhofblüten zum besten. Ein interessanter Kampf mongolisch-preußisch: Plempe gegen Bambusrohr.

Bild 7. Seefahrt nach Japan (von einem Flugzeug der Kiautschoubesatzung aufgenommen) Kioto. Merin wird beinah gelyncht. Man hält ihn für den Chinesendichter Doeblin! Japanische Jugendwehr beim Exerzieren und Abkochen. Kunstschüler überreichen einen Buddha, der beim Aufheben Jesus, meine Zuversicht spielt. Herrliche Naturaufnahmen vom Fusiyama mit den Reklametafeln Amol tut wohl. Die Geishagirls. Merin beim Krabbenfang.

Bild 8. Die Nacht von Tokio. 10 Paare vollführen die 64 Liebesstellungen.

Der Tschuo und Mainitschi bringen spaltenlange Berichte. Ueberall auf dem Archipel stehen erregt debattierende Gruppen um die stündlich ausgegebenen Bulletins

Dada in Japan

(Eigene Drahtung).

1 Dadatag = 7 Erdumdrehungen.

Die ganze Stadt war mit herrlichen Papierdadas geschmückt. Auf den Straßen wurden die Köpfe unserer Führer auf kaiserlich Japan als Fond für den Missionsdada verkauft. Den Fremden bot sich

ein schauerlicher Anblick.

Zwei Dichter und ein Maler, die bei der Abfassung von Pamphleten betroffen waren, wurden bei lebendigem Leibe genagelt. Um 10 Uhr sichtete man in Yokohama die ersten Dschungken, auf deren jeder ein Kormoran saß, der nach Fischen tauchte und Da—da— schrie. Am Strande winkten die Geishas mit ihren Kimonos. Edle Samurais warteten sporenklirrend zur Begrüßung. Walt Merin verlieh ihnen darauf sofort ein Monokel und den Dadaorden in Form eines Glasauges. Der Zug wurde von einem Bataillon Boxer eröffnet, die im Marschtakte rülpsten. Und die Bonzen hatten sich Lampions um die rosa Bäuche geschnillt. Beim Nahen der ersten Riktscha brach unter den Zuschauern ein tosender Lärm

von Tausenden von Waldteufeln

los. Merin dankte nach allen Seiten. Er trug einen weißen Zylinder mit grünen Volants. Kleine Kunstschülerinnen umringten ihn und baten um Dadazeichnungen für ihre Malhefte. Viel Aufsehen machte ein Gaukler, der einen Eichbaum aus dem Gesäß wachsen ließ, in dessen Zweigen Nachtigallen sangen. Beinah kam es zu einem blutigen Zusammenstoß mit einigen Taifunisten (einer Sekte expressionischer Kunstbonzen), die demonstrativ entgegenzogen und das Hohelied des Preußentums*) sangen. Sie

*) Vergl. H. Walden, Kunsthandlung. Anm. d. Herausg.

wurden von den Boxern mit wenigen Jiu-Jitsugriffen auseinander getrieben. Die Dadaisten aber tanzten in den Straßen von Tokio und brüllten

su-tling hoêi-pi

Achtung! Wer weitergeht, wird erschossen!

2. Dadatag = 13 Tagen M. E. Z.

Die Reihe der Sehenswürdigkeiten eröffnete eine Wallfahrt zum Felsentempel, wo der Pagodenheilige auf den Elephanten im Glaskasten thront. Nach Einwurf von einem Yen erscheint er im Nordlichtglanze und spricht Ra Ra. Merin tätschelte ihm die Backen, worauf er noch etwas über die Metaphysik der sphärischen oder Dadalaute und der submarinen AR- oder Magenlaute zum Besten gab. Merin mietete für eine Nacht das Yoshiwaraviertel. Die Mädchen wurden in Reichswehruniform gesteckt und die Dadaisten nahmen auf Maultieren unter Absingung des niederländischen Dankgebetes die Parade ab. Bei jedem Akte mußten sie „Durchhalten!" schreien. — Im Teehaus zur subkutanen Injektion lebte der uralte Dadayati, dem der Bernstein schon aus den Augen tropfte. Er hatte noch Chamisso gekannt und sagte gegen Trinkgeld Goethes Suleika auf. Als Merin ihn unter dem Bockskinn krabbelte, blies er seine resedafarbenen Hautlappen auf und explodierte unter großem Gestank.

Und am fünften Tage des fünften Monats, dem noborino sekku saß Walt Merin vor dem Shintomiratheater und 15 Geishas mit den kleinsten Füßen bewirteten ihn mit Milchreis und Tee und kraulten ihm seine herrlichen Fußsohlen. Und er spielte auf einer Siao-Flöte: Wenns die Soldaten durch die Stadt marschieren . . . und die Dadaisten begleiteten ihn auf Pî-p'â's und Ku-Kin's und Tang-lôs und Sheng's. Dann schritt er auf dem Blumensteg zur Bühne und sprach (leise anschwellend, sonor) folgende Original-Dada-Dichtung japanisch:

hong-ti
hong-si
akatsuki
tanna tanna
tariya-ranna
tarachiri ra
Thó-Thi-Kong DADA.

Der Abschied gestaltete sich sehr feierlich: dreißig japanische Klischnigger begleiteten in Froschmanier die Dadaisten zum Hafen, wobei sie eigentümlich balzende Laute von sich gaben. Die kaiserliche Kapelle blies: „Es gibt ein Wiedersehen" und lange bemerkte man noch die wahnsinnigen Sprünge harakirimachender Greise.

Damit beginnt der D a d a r ü c k m a r s c h über Tibet unter Führung der Dadaisten Tsei-fu-tin (China) und Mihomati (Japan). In einem schattigen Seitentale des Nan-schan erreicht eine Abordnung Ceylonischer Wedda's, die den Kuhschwanz (Dada) heilig halten, die Expedition. Das Schreiben, das auf dem linken Hinterbacken eines Kriegers eingeritzt war, lautet:

Dada bedeckt die Blöße der ganzen Welt.

Der König von Kuhschwanz' Gnaden wünscht dem Dadahäuptling Heil und Sieg.

Als einer der wichtigsten Zeitdokumente — neben dem Hado und der Versailler Stammtischrunde — gilt die Merin'sche

Osterbotschaft der großen Gründung

Hydraulisch in schattiger Lage. Verlangen Sie
Prospekt Ozon!!

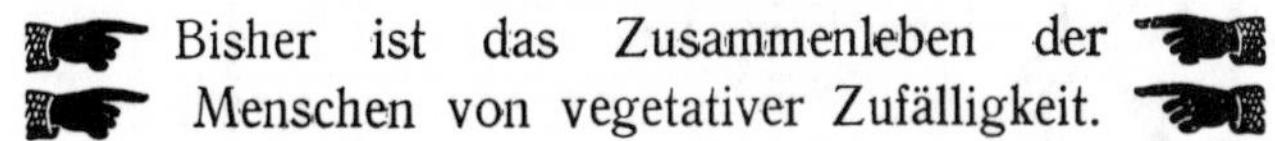

Bisher ist das Zusammenleben der
Menschen von vegetativer Zufälligkeit.

Der Großstadtsumpf, in dem heterogenste Elemente stagnieren. Man träumt vom süßen Mädel, das am andern Ende wohnt, aber nebenan kotzt der dicke Reichspräsident sein Salvatorbräu aus. Man hat den erlösenden Menschheitsgedanken, aber die Schreibwarenlager feiern Sonntagsruhe und die Gläubigen schwofen am Spandauer Bock. Die schönen Seelen finden sich nicht, die eine oxydiert schon in N.O., die andere kegelt noch ahnungslos in W.W., aber nie Dada. Abhilfe ist möglich! Aber

??? Was ist Dadayama ???

Dadayama ist vom Bahnhof nur durch ein Doppelsalto zu erreichen. Dadayama hält das Blut in Wallung. Teils Stierkampfarena, teils Nationalversammlung, auf Eiffeltürmen die Welt von Eisenbeton und in den Tiefen des Lasters bei Opium und Burgeff-Grün ständig in Betrieb. Jede Stadt hat ihre Dadakulmination. In Dadayama kulminieren alle Städte, Revolutionen, Unzucht, Terror, Flaggellation. Gepeitscht durch Alleen russischer Dampfbäder du schwankst im Mondschein, schon plumpst du ärschlings durch die Falltür im Hyazinthenbeet. In Sackgassen, wo das Laternenlicht zu ff. Alpenmilch kondensiert, brüllt plötzlich ein Rumpf ohne Kopf und Unterleib. Dadayama behütet deinen Schlaf, reguliert deine Träume besser als Psychoanalyse homöopathisch. Dadayama ist die erste Kolonie Dada. Unter Mitwirkung von elftausend chinesischen Steinträgern erstehen die markantesten Straßenbilder wie die Berliner Friedrichstraße, die New-Yorker 5te Avenue, München-Schwabing und die Kölner Blutgasse in 41 Dadatagen. Zur Erhöhung der Vitalität ist die Anlage labyrinthisch gehalten und der Verkehr (1 Schwebebahn, 15 Rutschbahnen, 31 Berg- und Talbahnen) gestatten das Auf- und Abspringen nur während der Fahrt.

Mit Riesencomfort (Großluftschiffahrtskanal, automatischen Kirchenorchestrions, heizbaren W. C.'s pp. — vor allem das Wunderwerk moderner Technoplastik die elektrische Reklametrommel!! Nach jedem Bum-Bum transparente Ankündigung 5 Meilen im Umkreis sichtbar — spottbillig gleichzeitiger Akkumulatoranschluß für dreitausend bewegliche Figuren in allen Gegenden. Man frage nach Ursel! (Universal round sailing electrical) a tour of Dreamland!

Rund durch Dadayama.

!! (Tickets an der Hauptkasse im Palast Walt Merin) !!

Explosionsmotoren. Einphasiger Wechselstrom. 11 000 V. Achtung, Drahtleitung nicht berühren! (Elektromassage der lebende Leichnam.) Rechts sehen Sie das Wellblechviertel, zentrifugale Dichterspeisung, 4 Transformatoren für überspannte Gemüter. Links sehen Sie, rechts sehen Sie O Täler weit, o Höhen bis zum Himalaya und Sie landen parterre. Beim Ankersteinbau säbelt der kleine Mörder aus Wachs. (Haben Sie Bettnässen????) Kein Wattverlust. Enorme Stromersparnis. Der Gipfel der Ehrlichkeit. 5% über dem Meeresspiegel. Und unten links Ein Blick aus der Vogelperspektive und unten links und oben rechts der Stadtbahnhimmel asphaltisch gewellt. Sie blicken in Spielhöllen. Paradiesbiergärten Eden-Hôtels, Masochistenkasernen tagelang vielleicht, bevor Sie einem lebenden Wesen begegnen. Jemand empfiehlt Ihnen Lecithin. Wir kurieren besser à la Lahmann. Erfolg garantiert 3 Wochen vor und nach Gebrauch. Schon nimmt Ihr Hirn die steilsten Kurven. Durch Freudparks sexualsymbolisch rund (die Analogen sind den Schutzmitteln des Publikums empfohlen). Hartgummi gegen Kurzschluß. Und die Dynamos schwitzen Blut. Und Wiesengrün und Atemnot. Und Weltpanorama und Angstgefühl. Dadayama reinigt den Magen von Zwangsvorstellungen! Z. B. Ein

Brandmauer kommt von oben herunter mit Riesenaffichen.

Sechs sieben Etagen immer mehr . . .

In der 21ten liegen Kontors in grellem elektrischem Licht.

Die doppelte Buchführung schließt mit einem Saldo von Blut.

Ein Mann hängt gebrochenen Rückgrats über dem Drehstuhl.

Am siebenten Wirbel befindet sich ein talergroßer lila Fleck mit grünen Rändern.

(Steht im Bericht der Mordbereitschaftskommission).

O Christi Barmherzigkeit! Kapitalist. Er tritt mit Todesschrei ins Leben.

Gott verläßt die Seinen nicht.

Die Anteilscheine flattern zurück zum dreifach vernieteten Arnheim (der Mord von rückwärts!).

Ein Druck auf die Alarmglocke verständigt das nächste Polizeirevier.

Policeman und Polente rückt an.

Zwei haben Lunte gerochen und türmen.

Die Gerechtigkeit nimmt ihren Lauf — wie immer in verkehrter Richtung!

Schon schleppt man Sie vors Tribunal. Schon transpirieren Sie auf dem Schafott. Vergeblich windet sich Ihre Unschuld in der Indizienkette und Sie bereuen zu spät: ein gutes Pneu ist das beste Ruhekissen.

Und der Motor verdoppelt die Tourenzahl.

Die Reeling schaukelt auf dahinter Hamburg. Im Seltergebrause dunkelt der Ozean. Die Imaginärkaschemmen der Vorstadt Dada mit den Kunstfabriken (Herstellung von täglich 10 000 Klebebildern auf Schnelldruckpressen und Export in alle Länder. Jedes außerhalb entstandene Kunstwerk wird nach Magistratsentscheidung für Schmeißbuden angekauft) und — jeden Sonntag bruitistische Volksandacht beim Buddha mit den Grammophonen.

Die Rundfahrt durch Dadayama vermittelt das anatomische Bild.

Das besondere Konstruktionsphänomen bedingt die orthozentrische Einstellung Ihres Bewußtseins, daß es gerade auf Sie ankommt und der Hebel Ā schaltet die Passivität der Reisenden aus.

Jeder Besucher erhält außerdem folgendes:

Betriebsreglement für Dadayama.

DA 1919 I 138/[61].

Achtung bei trübem Wetter auf die öffentlichen Kinovorstellungen mit den Wolkenprojektionsapparaten des Heartfield-Merin Mutoscop concerns!!!

Die Gasometer arbeiten nach patentierter Erfindung (DADA.R.P.) unter Mitwirkung aller Einwohner!!!

Sexuelle Handlungen finden allein statt in dem großen Glasbordell mit den Sexualschaukeln und Rängen der Voyeurs (Entwurf Brunhold Taut) und im Tempel der Selbstbefriedigung (Fetischisten, kauft nur Obersky-Korsetts!)

Zu diesem Behuf haben sich alle Einwohner zweimal monatlich vor der Untersuchungskommission im reingewaschenen Zustande zu melden.

Die Erreichung der Pubertät berechtigt zum Einjährig-Freiwilligen.

Gerichtliche Entscheidungen werden nach den Regeln des internationalen Londoner Boxingklubs getroffen. Anstelle der Freiheitsstrafen tritt die öffentliche Auspeitschung.

Die Ueberschreitung des 50. Lebensjahres ist nur Ehrendadas gestattet.

Dadayama im Hornung.

Mit der Anlage Dadayama stellt Merin den neuen G r ü n d e r w e l t r e k o r d auf, der in allen zivilisierten Ländern, Deutschland ausgenommen, berechtigtes Aufsehen erregt.

Jetzt beginnt sich auch A m e r i k a zu interessieren. Die Bethlehemsteel A.-G. will Dada zur Panzerplattenreklame aufkaufen und Wilson warnt vor Gebrauch der Punkte des dadaistischen Zentralrats (Deutschland). Die Dadaisten antworten mit der Drohung, ihm das Weiße Haus grün anzustreichen. Eine Schwestergruppe amerikanischer Künstler zeigt zum ersten Male ihre c a m e r a w o r k s (Verwendung photogoraphischer Platte zu Simultanbildern) und die Presse schickt als Vertreter den bekannten Zeichner und Reporter

Böff

in den Goldgräberbars auch unter dem Namen Marschall Groß bekannt (Direktor der Edison-Yogakult A.-G. verfertigte das Standartwerk Deutschland, das mittels Motorantrieb vom Siegerrausch zur Revolution gebracht wird). Im Jahre 1916 vollzog er seinen endgültigenUebertritt von den U.S.A. zum Dadaismus. Verhandlungen über den Ankauf des Buches HADO (Copyright by Baader, Oberdada, Präs. d. Erdb.) zwecks Aufstellung im Senat zu Washington (Bevollmächtigter Ben Hecht) zerschlagen sich zwar, aber die Zeitungen wetteifern weiter in sensationellen Artikeln über Dadasoireen und ihre Vertreter, vor allem die Person des großen Weltumseglers.

Die Melbourner Mittagszeitung (Australien) berichtet in dem ausführlichen Interview eines findigen Journalisten

the king of the founders 9. Nov. 18.
(Kabel):

Nach dreiwöchentlichen Mißerfolgen erreiche endlich auf Pumpstation der sibirischen Bahn eine Unterredung mit dem Gründerkönig. Während ich in einem schmalen Abteil des Salonwagens antichambriere, teilt sich plötzlich die Wand und ich sitze i h m s e l b s t gegenüber. Der erste Eindruck ist eine agile Persönlichkeit, combination von cow-boy und Fakir in hellem Nankinganzug. Auf dem Tisch stehen Photographien berühmter Dadaisten, Agitatoren etc. mit eigenhändiger Unterschrift, darüber zwischen den Fenstern ein Plan Dadayamas nach Merinschen Angaben: Lichtbildaufnahmen der Stadt in etwa 100 Schichten übereinandergeklebt sind aufklappbar wie ein anatomischer Handatlas.

Während der kurz bemessenen Zeit arbeitet er noch unaufhörlich in einen Parlographen.

time ist nicht nur monay, sondern noch wertvoller Dada, bemerkt er lächelnd.

Noch heute (beginne ich) gibt es soviele Auffassungen vom Dadaismus wie Menschen. Läßt sich ein Kriterium kurz präzisieren?

Unter dem planetarischen Einfluß von Mars, Merkur und Mondhypertrophie tritt von Zeit zu Zeit Verfilzung des Gehirns zu intellektuellen Weichselzöpfen ein, d. h. die Drähte berühren sich und die Menschen halten das individuelle Schädelbrummen für göttliche Offenbarungen statt auf die realen Klopfzeichen zu achten. Dada wird durch einen einzigen Handgriff eingeschaltet und verstärkt die Morsezeichen zur Tonstärke explodierender Handgranaten.

Verwenden Sie irgendwelche Bekehrungsmittel und welche?

Dada verzichtet im Prinzip auf terroristische Maßnahmen, bedient sich ihrer aber als vitales stimulans nach dem l'art pour l'art-System.

Welchen Einfluß hat die Einführung des Dadaismus auf den Gesundheitszustand der Bevölkerung?

Allerdings wächst die Sterblichkeitsziffer im Anfang rapide, sobald aber die Körper auf die Hochspannung trainiert sind, schlägt sie in niedagewesene Uebervölkerung um.

Basiert Ihre Bewegung auf geheiligten Traditionen?

Dada lehrt die Höherentwicklung des Individuums, aber nicht im Darwinschen Sinne, sondern datiert sie von der Erschaffung des Dadaismus.

Wenn er spricht, habe ich Muße, ihn zu betrachten. Sein Ausdruck wechselt von blutigster Raubtierenergie zu knabenhafter Anmut. Als ich nach seinem enormen Fingerring blicke, in dessen Fassung ein weißer Tropfen zittert, errötet er: „Eine Erinnerung an Japan."

Zum Schluß frage ich noch etwas über die neue Zeitrechnung!

Die genauen Berechnungen fehlen noch. Helfferich, den wir mit der arithmetischen Kleinarbeit betrauen wollten, hat bei unbekanntem Aufenthalte leider abgelehnt.

Ein paar kräftige shak hands und vor dem eigenartigen Menschen schließt sich die Wand, auf der zugleich in Transparent die Worte aufleuchten:

Setzen Sie auf Dada!

Die Welt ist nur eine Filiale des Dadaismus. Wir zahlen den Einsatz

aller Banken

als Gewinn!

Programm einer großen Soirée,

die von den Pariser Dadaisten in der Salle Berlioz, Rue de Clichy 55 am Sonnabend den 27. März 1920 gegeben wurde.

Manifestation Dada.

1. Vorstellung der Dadaisten durch Herrn Mac Robber.
2. Der aus dem Konzept gebrachte Bauchredner
   Parade in einem Akt von Paul Dermée.
   Personen: der Bauchredner
   der Matrose
   der Mann mit dem Lötkolben
   ein junges Mädchen
   ein Mann.
3. Keine neu aufgegossene Zichorie!
   von G. Ribemont-Dessaignes.
   am Piano: Mlle. Marguerite Buffet.
4. Dadaphone von Tristan Tzara.
5. Manifest Cannibale in der Dunkelheit
   von Francis Picabia
   gelesen von André Breton,
   am Piano: Marguerite Buffet.
6. Taschenspielerkünste von Louis Aragon.
7. Die neusten dadaistischen Kreationen
   von Musidora.
8. Manifeste von Philippe Soupault.
9. Der stumme Kanarienvogel
   Schauspiel in 1 Akt von G. Ribemont-Dessaignes.

Personen: Riquet — André Breton
Barate — Mlle. Louise Barclay
Ocre — Ph. Soupault.

10. Bitte sehr!

Comoedie von André Breton und Ph. Soupault.

Personen: Der Stern — A. Breton
Mlle. Dactylographin — Mlle. L. Doyon
Lefèvre — T. Fraenkel
Ein Herr — Ph. Soupault
eine Dame — Philippe Soupault
zwei Bettlerinnen — Herr und Frau P. Eluard
ein junger Mann — Henry Cliquennois
ein Polizeikommissär — G. Ribemont-Dessaignes.

11. Beispiele von Paul Eluard.

12. Manifest in Oel von G. Ribemont-Dessaignes.

13. Bild von Francis Picabia.

14. Das erste himmlische Abenteuer des Herrn Antipyrine

ein doppeltes Quartett von Tristan Tzara
Zeichnungen von Francis Picabia.

Herr Bleubleu — Ph. Soupault
Herr Antipyrine — André Breton
Herr Cricri — Louis Aragon
Herr Direktor Boumboum — G. R. D.
Die schwarze Frau — Mme. Céline Arnauld
Npala Garoo — Th. Fraenkel
Pipi — Paul Eluard
Tr. Tzara — Tr. Tzara.

Dada-Kunst.

Expressionismus ist ein Plakatstil und hätte nicht erst in den Dienst eines Betriebs gestellt werden müssen, um seine Ausdrücklichkeit endgültig einzubüßen.

Jede Kunst, sogar die lediglich imitative, enthält bereits Abstraktes; sei es in der Proportion oder der Farbe, sei es in der Materie. Denn jedes imitative Werk ist Transponieren äußerer Beziehungen in einem Komplex in sich differenter Geschlossenheiten. So ist die Photographie Abstraktion geringster Differenzierung. Hier Farben aufsetzen heißt, zwischen ihnen unter Benützung von Licht und Schatten und mathematischer Gesetze (Perspektive etc.) auf der Fläche Beziehungen herstellen. Jede dieser Beziehungen, auch die scheinbar sensibelste, bleibt jedoch gleichwohl zwischen äußeren Elementen stehen; oberflächlich. Cézanne malte tote Gegenstände, schräg von oben gesehen; er führte das Stilleben in die moderne Kunst ein. Letzthin aber ist für dieses neue Schräg-von-oben-sehen nur eine Erklärung auffindbar: es erschien dem Maler interessanter. Die Kubisten begannen, dieselben Gegenstände, welche bereits dieses Schräg-von-oben als Tradition herumschleppten, vertikal zu sehen, von oben, sodaß von ihnen nurmehr Kreise übrig blieben, Ellipsen, Quadrate, Dreiecke, Oktogone etc. Oder sie durchschnitten den Gegenstand gleichsam und arrangierten das Bild bruchstückartig. Dadurch hofften sie, die Totalität sicherer zu erreichen, als wenn sie ein Ganzes versuchten. Kurz, man spezialisierte sich im Suchen von Beziehungen innerer Art, indem man sich auf ein Ziel zu dirigierte, welches das der Nachahmung durch intensivstes, sensibelstes Aufnehmen einer oder mehrerer äußerer Beziehungen weit überragte.

Die Futuristen spezialisierten sich (jede Kunstschule ist eine Spezialisierung) auf die Beziehungen der Bewegungen und deren Gleichzeitigkeit. Da jedoch auch sie noch illusionistisch blieben, mehrere Gegenstände in ein kinematographisches Nebeneinander stellend, behielten sie die Fläche bei und mußten den Raum komponieren. Immerhin waren sie interessanter als die Expressionisten, die dadurch das Illusionistische kühn behalten zu dürfen glaubten, daß sie für die auch von ihnen gesuchte Verinnerlichung das Schlagwort „Psychologische Kunst" prägten. Eine sehr arme Neuerung. Was sie erreichten, war lediglich Symbolisches, das schließlich auch ohne die günstige Gelegenheit der Zeitumstände den Weg an die Plakatwand gefunden hätte.

Das Ziel jedes Kunstwerks ist die Emotion, die umso stärker ist, je unmittelbarer die durch das Kunstwerk repräsentierte Realität ist. Das Fehlen des Problematischen, des Suchens noch im Bilde, ist die wichtigste Voraussetzung dafür, innerhalb eines Kunstwerks zum Unmittelbaren vorzudringen. Die Einmengung des Intellekts, um Probleme zu setzen oder zu erläutern, schwächt die Emotion, macht sie mittelbar, wenn nicht überhaupt unmöglich. Darum wird ein problemsauberes unmittelbares Werk vollkommener sein und seine Emotion direkter, stärker. In ihm ist eine neue Realität von unmittelbarer Wirkung da und damit auch eine wirklich neue und wahrhaft befreiende Einstellung zur bildenden Kunst.

Die ersten, freilich noch nicht entscheidenden Versuche sind bei Braque zu finden. Er war der erste gewesen, der die Fläche durchbrach, sodaß ein gut Teil Illusion verschwand, und der die Gegenstände gleichsam von innen betrachtete. Picasso nahm aus seinen zarten, beinahe transparenten Porträts des Anfangs Teile und Glieder, bog sie, bis sie sich verbanden, und setzte sie so, viel Formales, Illusionistisches vernichtend, in sein neues Bild. Weiterhin arrangierte er nicht mehr ineinander, sondern nach gewalttätigeren Methoden. Durch seine grandiosen Anregungen verfiel man auf die Einbeziehung fremder Materialien in das Bild. Neben eine Realität, die der Maler bisher von sich aus konzipierte, klebte er eine direkte (aus Zeitungspapier, Haaren, Tüchern etc.). Nicht nur Formen und Farben sollten aufgestellt werden, vielmehr der Kontrast zwischen dem, was gefaßt wurde, und dem, was man von sich aus bot, unmittelbarer aufklaffen. Das alte Metier erschien abgenützt. Völlig Neues war auf dem Wege.

Es war die besondere Leistung von Hans Arp, von einem gewissen Augenblick an das Metier selbst als Problem betrachtet zu haben. Auf diese Weise hob er es wieder und brachte die Möglichkeit heran, es mit neuer Phantasie zu speisen. Für ihn handelte es sich nicht mehr darum, ein aesthetisches System zu verbessern, zu präzisieren, zu spezifizieren. Er wollte die unmittelbare Produktion. Nicht anders, als wenn ein Stein vom Berg bricht, eine Blüte sich vollendet, ein Tier sich fortsetzt. Er wollte Quantitäten von Phantasie, die in keinem Museum zu finden sind. Eine Art tierhaftes Gebilde mit wilden Intensitäten und Buntheiten. Einen neuen Körper neben uns, der für sich lebt wie wir, der auf Tischecken hockt, in Gärten haust, von Wänden blickt. Er wollte die Abstraktion.

Gemeinsam mit Otto van Rees stellte er Bilder her, die nur aus Papier bestanden, das er in allen Farben neben- und übereinander klebte. Der Rahmen und später auch der Sockel wurden als unnötige Krücken fallen gelassen. Von hier aus war das Bild nurmehr als Farbe und Aufbau interessant. Der Maler mit jenen zweifelhaften Sensibilitäten, die ihm ein Lehrer besorgt hatte, war abgetan. Kandinsky, der auf einem ganz anderen Weg zu denselben Resultaten kam, war wie Arp ein Vorläufer, wenngleich nicht derart deutlich und beendigend.

Das Neue blieb nicht beim Bilde stehen. Man begann Reliefs zu machen, Skulpturen, vor denen der Zweck dieser neuen Methoden, die unmittelbare psychische Emotion, an Klarheit noch gewann. Diese

Wirkung ist nur reinen sicheren Formen und Farben zueigen; nur, wenn das, was Phantasie in naiv kraftvoller Weise aus sich selbst empfand, ebenso auf das Bild, in Skulpturen gebracht ward, vermag es, Emotion zu erregen. In keiner Hinsicht mehr war es möglich, sich auf das Objekt zu beziehen, auch nicht, indem man es etwa anderswie wieder in das Bild hineinzuziehen versucht hätte. Es war ein Ende und ein großer Anfang.

Es war nun eine der ersten Feststellungen des Dadaismus, daß systematisierte Psychologie, psychoanalytisches Symbolisieren (Expressionismus) nicht zu jener Emotion zu führen vermag, welche da und dort bereits verlangt wurde. Deshalb perhorreszierte er Gegenstände, Landschaften, Anekdoten, Allegorien und forderte Einfachheit der Mittel, das primitive Verhalten zu den elementaren Dingen. Er erkannte früh die ungeheuere Mannigfaltigkeit, die so zu erreichen war, den ungeahnten Reichtum innerhalb der zahllosen neuen Möglichkeiten, denen der Künstler seine Persönlichkeit bis in die feinsten Aederchen hinzugeben imstande war. Er wußte, daß es nicht Originalitätssucht war, welche einzelne neue Bilder so verschiedenartig werden ließ, sondern die Einzigartigkeit eines jeden Menschen, die im Grunde völlige Verschiedenartigkeit von dem andern. Er sah, daß bisher gänzlich verborgen gebliebenes Persönliches sich nach außen zu fassen vermochte, Stück seiner Art wurde und neues Leben aus sich selbst gewann. Für ihn war somit in den abstrakten Methoden das völlige Erkennen sämtlicher Mittel und Wege beschlossen und die ganze Fülle jeder Persönlichkeit.

Die Reaktion gegen die Perfektionierung einer von Grund aus gescheiterten Sache (Expressionismus) war dem jungen Kraftgefühl des Dadaismus deshalb gleichgültig. Er fing alles neu an. Von ihm gingen, seit langem endlich wieder, Creationen aus, ein neues starkes echtes Gefühl für das Leben. Darum war sein Vorhandensein allein bereits eine gefährliche Front gegen alles Abgelebte, Schablone-Gewordene. Die Verlogenheit des Expressionismus, die falsche Emphase des Futurismus, der salonhafte Cubismus erwiesen sich an ihm ohne sein Zutun.

Die abstrakten Maler waren denn auch die ersten, die sich sofort dem Dadaismus anschlossen, dessen Individualismus sie mächtig anzog. Vor allem aber seine Scheu vor der Handarbeit, seine Verachtung vor Schuldingen, seine Verhöhnung des Doktrinen. Der Unterschied zwischen Malen und Taschentücherbügeln wurde nicht mehr prinzipiell gemacht. Man behandelte das Malen als eine Verrichtung und erkannte den guten Maler etwa daran, daß er seine Bilder nach telefonischen Angaben beim Tischler bestellte. Es handelte sich nicht mehr um Dinge, die zu sehen sind, sondern darum, wie sie in eine unmittelbare Funktion zu Menschen geraten können. Man gab aus seiner Welt, aus der Welt eine merkwürdige, bunte, wilde Auswahl, die man signierte.

Der maßgebendste Vertreter der Dada-Kunst ist neben Hans Arp Francis Picabia, der aus Amerika die seltsamsten Vibrationen, die er in Maschinenteilen gefunden hatte, mitbrachte. Eiserne Konstruktionen, das Innere von Uhren, Pianos etc. nahm er, in bestimmten Profilen, oft sogar nach photographischen Aufnahmen, in sein Bild hinüber und brachte sie zu verblüffender Expansionskraft. Es war kein neues Hineinziehen der Objekte; weder die Maschine noch irgendeine Beziehung zu ihr sollte zur Emotion gefaßt werden: es war eine platzende Phantasie am Werk, für die das Banalste, Mechanischeste, mit einem gewalttätigen Griff gepackt, plötzlich ein neues fremdes Leben bekam, in dem Ironie, Erotik, Hohn, Heiterkeit und Müdigkeit seltsam vibrierten.

Hier und bei den geometrischen Bildern Arps tut sich, für jedes Auge merkbar, die unendliche Weitung und persönliche Fülle der Möglichkeiten auf, welche die Dada-Kunst bedeutet.

Es fühlten sich stets mit dem Dadaismus verbunden und erschienen in seinen Ausstellungen: Augusto Giacometti, Kurt Schwitters, Otto van Rees, Viking Eggeling, Hans Richter, Christian Schad, Raoul Hausmann, Alice Bailly, Giorgio de Chirico, M. S. Taeuber, Daniël Rossiné.

(Aus dem Dänischen übersetzt von J. C.)

Alexander Partens.

BAADER
Deutschlands Größe und Untergang
oder
Die phantastische Lebensgeschichte
des Oberdada

Verlegt bei PAUL STEGEMANN, ERNST ROHWOHLT und KURT WOLFF (Hannover, Berlin, München)

Dadaistische Monumental-Architektur in fünf Stockwerken, 3 Anlagen, 1 Tunnel, 2 Aufzügen und 1 Cylinderabschluß.*) Das Erdgeschoß oder der Fußboden ist die praedestinierte Bestimmung vor der Geburt und gehört nicht zur Sache.

Die Beschreibung der Stockwerke:

1. Etage: Die Vorbereitung des Oberdada.
2. Etage: Die metaphysische Prüfung.
3. Etage: Die Einweihung.
4. Etage: Der Weltkrieg.
5. Etage: Weltrevolution.

Ueberstock: Der Zylinder schraubt sich in den Himmel und verkündet den Ruhm von Lehrer Hagendorfs Lesepult. Im Lokal für M. 7.85 pro Stück käuflich.

Nähere Beschreibung:

1. Stockwerk.

Aus der Ebene der Metaphysik (auch „Kinderteich“ genannt) erhebt sich leise am 21. Juni 1875,

*) Ausgestellt in der Dada-Ausstellung in den Räumen von Dr. Burchhardt, Berlin, im Juni 1920.

dem Geburtstag des Oberdada, die erste Andeutung der pathologischen Mentalität, die von Pallas, dem Walroß D a d a (man vergleiche Karl Hagenbecks Tierpark) über den indischen Löwen der pommerschen Landwirte ohne Rücksicht auf irgendeine Zwangswirtschaft (dafür die Messinggoldstücke) neben dem abgebrochenen Kirchturm der Kreuzkirche (Dresden) als Rest von der Konkurrenz um den Neubau des Dresdener Rathauses übrig geblieben war. Scharfgeladene abgeschossene Patronen stehen im Rauchzeug der abmontierten Kirche. An dem großen Pulverfaß, das in der Mitte des Plans aufragt, dessen architektonische Einzelheiten plastisch gesteigert bis zur ausgehängten Karbidlampe in der die ursprüngliche Idee der Architektur, ausgegangen von der Dresdener Vereinigung Bildender Künstler für monumentalen Grabmalsbau (Baader, Metzner, Rößler, Hempel), Dresden 1903/1904 zur Verbrennung gebracht wurde.

Um das Pulverfaß kriecht in der fälschlichen Irreführung der Voraussetzung einer ins Weite reisenden Zukunft zwischen Schillers Gedichten mit dem Motto „D a d a siegt“ und der Originalausgabe der V i e r z e h n B r i e f e C h r i s t i der D-Zug Kaiser Wilhelms des Großartigen, der, symbolisch umschrieben, durch die Rundschiene, immer nur das Pulverfaß umkreist, bis er schließlich zur Explosion kommt.

2. Stockwerk.

Aber zuvor erwächst im Tunnel des todgeweihten Reiches die ganze Epoche der künstlerischen

Gesamtkultur. Ein Museum der Meisterwerke aller Jahrhunderte eröffnet sich unter dem Zucken der altgermanischen Mausefalle. Mitten entzwei gesprengt ist die Kirche und der dritte Teil wurde seiner Bestimmung gemäß abgerissen und steht als Zuchthaus auf dem Alexanderplatz (Behaglicher Aufenthalt an allen Werk- Sonn- Feier- und Putschtagen).

Das grüne Tuch unter der Mausefalle stellt die freie Natur dar, während an der Seite das Rad des Geschehens (um weiter zu wandeln die Runde durch neue Leben — noch immer an das Rad gefesselt) über die metaphysische Prüfung triumphiert. Der Tunnel und die beiden Anlagen sind mit platonischen Ideen bis zum Rand übersättigt. Als sie den Oberdada packen, vergewaltigen, überwältigen, erscheint das Phantom und Resultat des Weltkrieges am 19. Januar 1908, 8./9. April 1910, 4. September 1912, 13. August und 26. September 1913; das Ausrufungszeichen, das schon auf der Geometrie der ersten Etage liegt, wurde zur Bohnenranke des Herrn von Münchhausen und an ihrer Fahne (der Oberdada hält ihr im Kosinus des gleichschenkligen Winkels aller quadratischen Dreiecke die Stange persönlich) schwingt er sich über alle illusionäre Pathologie in den Rang des dritten Stockwerkes, der Einweihung.

3. Stockwerk.

Goethe gelangt nach Weimar, legt seine italiänische Reise auf Lehrer Hagendorfs Lesepult und erklärt dem schwäbischen Pastor*): ohne dieses Lese-

*) Baader (Anmerkung des Herausgebers).

pult kann überhaupt keine Literatur verstanden werden. Der indische Löwe bietet die zweite Hälfte dem Blick des Publikums. Die letzten Restbestände der Architektur werden in einen zerbrochenen Korb verstaut. Der Engel der Verkündigung spricht: Siehe ich verkündige Euch große Freude, denn Euch ist heute der alte Hagenbeck erschienen. Auch Paul Scheerbart kommt in einer gläsernen Kristallkutsche und legt sich als Bombe neben den verstaubten Architekturkorb. Währenddessen an dem vorderen Aufzug erstmals das Weib auftaucht und die nackten Geheimnisse entschleiert (Präsident kann nur ein ganzer Mann werden). Die Tiefbauberufsgenossenschaft und die Deutsche Bank gehen zugrunde, holen die Feststellung des 2. August 1914 aus den Tiefen des Muttermunds der Vagina sanguinalis protastata und so entsteht organisch aus der embryonalen Konception des „W" (Krönung und Fundament des Kosmos; Kassiopeia; Kaiser; Flugzeug; Straßenbahnlinie; Summe allen Wehs (Offenbarung Johannis 19, Vers 17 und folgende). Die Abteilung vier, Der Weltkrieg.

4. Stockwerk.

Der Weltkrieg ist ein Krieg der Zeitungen. In Wirklichkeit hat er niemals existiert. Die Figur der Geschichte, deren abgehackter Kopf aus echtem bayrischem Bienenwachs vor den Resten einer königlich preußischen „Rex"-Einkochmaschine aufgehängt ist, wird niemals zulassen, daß eine so maniakalische Paroxie wie der Weltkrieg Wirklichkeit wird. Darum glaube man keiner Zeitung. Es ist alles Gewäsch, von den ersten Nachrichten der Mobilmachung an bis zu Lüttich, der Marneschlacht, dem Rückzug aus Rußland und dem Waffenstillstand, die Presse hat den Weltkrieg geschaffen. Der Oberdada wird ihn beendigen.

5. Stockwerk.

Das ist die Weltrevolution des Kommunismus, der Stein der Bauleute und der Wahnsinn der Proktatur des Diletariats (Hausmann), daß die Welt nach der großen Hand schreit und doch sich weigert, das Heil der Erlösung aus dem /W/ in den Mund zu nehmen. Das ist das Unglück der welthistorischen Situation und doch:

Ich werde sie in Klump schmeißen: Wer nicht für mich ist, der ist wider mich (Verzeihung, so sagte man früher) heute ist der Kommunismus der Zwangwirtschaft der Besen, mit dem ich die Welt sauber mache. Hier von diesem Zylinder, auf den Flügeln von Hagendorfs Lesepult funke ich in den Aether, die letzte Erlösung vom Leid und dem Tode. Ein Narr ist, wer noch ohne den Oberdada zu Bett geht.

Quelques Présidents et Présidentes du mouvement Dada.

Dr. Aisen, Louis Aragon, Alexandre Archipenko W.-C. Arensberg, Maria d'Arezzo, Céline Arnauld, Arp, Cansino d'Assens, Baader, Alice Bailly, Pierre-

Albert Birot, André Breton, Georges Buchet, Gabrielle Buffet, Marguerite Buffet, Gino Cantarelli, Carefoot, Maja Chrusecz, Paul Citroen, Arthur Cravan, Crotti, Dalmau, Paul Dermeée, Mabel Dodge, Marcel Duchamp, Suzanne Duchamp, Jacques Edwards, Paul Eluard, Max Ernst, Germaine Everling, J. Evola, O. Flake, Théodore Fraenkel, Augusto Giacometti, Georges Grosz, Augusto Guallert, Hapgood, Raoul Hausmann, F. Hardekopf, W. Heartfield, Hilsum, R. Huelsenbeck, Vincente Huidobro, F. Jung, J.-M. Junoy, Mina Lloyd, Lloyd, Marin, Walter Mehring, Francesco Meriano, Miss Norton, Edith Olivié, Walter Pack, Clément Pansaers, Pharamousse, Francis Picabia, Katherine N. Rhoades, Georges Ribemont-Dessaignes, H. Richter, Sardar, Christian Schad, Schwitters, Arthur Segal, Dr. V. Serner, Philippe Soupault, Alfred Stieglitz, Igor Stravinski, Sophie Täuber, Tristan Tzara, Guillermo de Torre, Alfred Vagts, Edgar Varèse, Lasso de la Vega, Georges Verly, A. Wolkowits, Mary Wigman.

Dadaland.

Man beschuldigt Dada eines Verbrechens: deutsch zu sein! Das ist ein Holzweg. Ein kleines Mädchen oder ein kleiner Junge, die durch ihre eigne Verschleimung verblödet sind, haben den Ball in die Luft geworfen, und die tausend Idioten der öffentlichen Meinung haben ihn wieder aufgegriffen, um ihn zur Explosion zu bringen. Deutsche Kunst. Gibt es vielleicht eine französiche Kunst?

Es gibt ein Stück Erde, das infolge seiner physikalischen Beschaffenheit einen bestimmten Geist hervorbringt, in dem die charakteristischen ozeanischen Zersetzungsprodukte vorherrschen. Was diesem Geist verfällt, tritt als die ihm eigentümliche Umhäutung zu Tage. Französischer Geist; Französische Kunst.

Alle Medaillen und dekorativen Verherrlichungen französischen Ruhmes sind made in Germany oder made in Italy und an anderen Orten, französisch ist nur die Vergoldung. Die klassischen Epochen stammen aus Griechenland, Italien, Flandern, Arabien, China. Die Moderne kommt aus England, Skandinavien, Deutschland und neuerdings aus Afrika, Australien, Japan und Spanien.

Also muß man sich klar sein, daß alle Franzosen an die übrige Welt verraten und verkauft sind, Verrat üben an ihrer Nährmutter? Glücklicher Reichtum.

Aber man nenne mir doch einmal ein Beispiel französischer Kunst der Heimatsscholle, das ganz unbeeinflußt ist?

Die französische Besonderheit ist dahin praezisiert, einen Haufen verschiedenster Produkte zu absorbieren, ohne daran einzugehen, sie mit einem spezifischen Parfum zu umgeben, daß man sich überall über den Ursprung dieser Zusammensetzung täuschen läßt und von Amerika bis zur Tschecho-Slowakei sagt: „Entzückend! Echt französischer Geschmack!“

D a d a ist nicht französisch. Aber auch nicht deutsch, überhaupt von keinem bestimmten Lande. Also eine rächende Krankheit, eine Landplage? Allerdings. Die Vergoldung platzt ab. Die französische wie jede andere.

Ja meine Herren, wenn Sie für die Moral Ihrer Frauen zittern, für die Ruhe Ihrer Köchinnen und die Treue Ihrer Mätressen, für die Solidität Ihres Lehnstuhls, Ihrer Nachttöpfe und Ihres Hausrats, für die Organisation Ihrer Absteigequartiere und die Sicherheit Ihres Staates, dann haben Sie ganz recht. Aber was tun? Sie faulen bereits und der Brand ist entfacht.

C. Ribemont-Dessaignes.

(Uebersetzung aus dem Französischen von Walter Mehring).

An das Publikum.

Bevor überhaupt wir zu Ihnen hinabsteigen, um auszumerzen Ihre stockigen Zähne, Ihre grindigen Ohren, Ihre Sprache, die die Krätze hat —

Bevor wir Ihre faulenden Knochen zerbrechen —

Die katharrhalische Plauze öffnen um als Dünger zur Hebung der Landwirtschaft zu dienen, Ihre Fettleber, Ihre Proletenmilz und Diabetikernieren exstirpieren —

Bevor wir confiscieren Ihren häßlichen Sexus, der anstößig wirkt und entartet, —

Bevor wir Ihnen den Appetit verderben auf Schönheit, Zucker, Pfeffer, Philosophie und metaphysich —' mathematisch — lyrischen Gurkensalat —

Bevor wir in Vitriol Sie tunken, um Sie zu reinigen und energisch zu läutern

Vor alledem

Wolln wir erst mal ein großes antiseptisches Bad nehmen

Wir machen Sie darauf aufmerksam:

Wir sind die großen Meuchelmörder All Ihrer kleinen Neuigkeiten

Und schließlich: wie geht das schöne Lied:

Ki Ki Ki Ki Ki Ki Ki —

Sehet den lieben Gott wie er reitet auf einer Nachtigall —

Was heißt da häßlich und schön —

Madame Deine Schnauze riecht nach Zuhältermilch

Am Morgen

Denn Abends kann man sie eher nennen: Popo eines lilientollen Engels

Ist das nicht nett?

Adieu mein Freund!

C. Ribemont-Dessaignes (Paris).
(Dadatraduction Walther Mehring).

Ich stamme von Javanern.

Schlagsahne . . . . exquisiter Genuß . . . .
Sprechen wir von ernsten Dingen der civilisierten Welt
Das ist die Poesie eigens für Don-Quichotes

Ich küsse Ihre schönen Augen teure Leserin
Sie können das Sein nicht leugnen
Ein „Jenseits der Natur“ existiert nicht
Plauschen wir eins!
Wo wohnen Sie?
Der Grund meines Denkens und eine solide Druckerei
Ein süperbes Buch kondensiert meine Fähigkeit
Wichtigkeit was?
Alles ist Wichtigkeit — in Amerika ist alles DADA
Und ich bin Francis Picabia
Das ist meine Schwäche
Die Liebe zur Kunst ist die größte Liebe
So wie ich nicht liebe Domestiquen essen zu sehen
Das macht kein Vergnügen
Und ich betrachte mich im Spiegel
Seh' aus wie ein Gewächs das dem heiligen Antonius
geweiht
Das ist von Bedeutung
Denn ich gehe in Frauenkleidern zum Tanz
Philosophische Reflexion
Beafstick in Schnapps Bier und ägyptischer Schanker
Der dritte Erdteil
Tätowierter Ziegenkot
Die unendliche Langeweile ist eine Unterhose
Für Elephanten,
Die baarfuß um die Sonne marschieren
Bedenken Sie: die Negerinnen
Haben den Steiß im Dreck
Und Brüste wie eine Feuerzange
Eine Gondel ist ihre Weißblechscham

Der Ursprung ihrer hinteren Rundung
und der des Jesus ist ein Ballon
Hätt' ich zwölf Groschen, ich ginge in ein Bordell
Ich drehe mich
Und voltigiere ohne Ende.

Francis Picabia (Paris).
(Uebersetzung von Walter Mehring.)

Die fünf Brüder.

Wenn die Elephanten mit Hosenträgern gehen
Wenn die Beamten Hüte tragen
Wenn die Schnecken wie Kamele aussehen
Wenn die Regenwürmer saufen Boa-lie
Wenn die Hemdenmacher Autobesitzer sind
Dann wollen wir brüllen:
Habt Dank!

Philippe Soupault (Paris).
(Dadatraduction Walter Mehring.)

Tomatenblüten.

Weiß nit wohin ich gehen soll
Gesetzt
Lotrecht
Gebettet
En avant
Entert die Wagen
Her mit den Besen
Was es doch gibt! Die Farben der kleinen Fische
Oder die lütten Automobile

Oder die praktischen Sicherheitsnadeln
Oder die hohen Cylinderhüte
Oder Herrn X . .
Oder auch die Zeitungskioske
Man muß sich ihrer nur zu bedienen wissen.

Philippe Soupault (Paris).
(Dadatraduction Walter Mehring.)

Eine Stimme aus Holland.

Amsterdam, Mai 1920.

Werter Herr Huelsenbeck! Kommen Sie bloß nicht her. Sie kennen ja Holland als Weichensteller der Noord - Hollandschen Yzeren Spoorweg-maatschappy. Na also, liebten doch immer unsere Antigeistigkeit in Reinkultur (oder wie Sie sich sonst ausdrückten. Käse mit Tulpenzwiebeln oder Holland, das koloniale Eiland Sumatras.

Also wie gesagt, kommen Sie bloß nicht her. Idealismus in Ehren, aber Sie schlagen die Unkosten nicht raus. Es verscheinen*) wohl ab und zu Artikels über Dada. Neulich las man sogar in der Qude Amsterdammer unter Onze Koningin op haar zomer-verblyf: De koeien spelen schaak op de telegraaf-draaden (Huelsenbeck, Phantastische Gedichte). Dazu einige Bilder: Dada in Wolken usw. In der Haag-sche Post stand ein Aufsatz über Dadaismus in Paris, da hieß es, die Bewegung gehe von Deutschland aus und sei von Frankreich übernommen. Algemeen Handelsblad berichtet subtil über den Dadaisten-

*) offenbar holländisch-deutsch (Anmerk. d. Herausg.).

kongreß in der Schweiz, während der Telegraaf sich einen — wie sagt man? wetenschappelyken Aufsatz von André Gide funken läßt (Dada, erklärte er, sei Aeußerung einer bestimmten geistigen Atmosphäre, die Erfindung des Wortes Dada könne durch keine spätere Leistung überboten werden). Ach ja, schließlich gaben vor ein paar Wochen einige hiesige Literaten und Kunstschilders*) eine Soirée, an welcher sie Gedichte von K. Schwitters als Dada vorbrachten. Wie Sie sehen, keine Idee von Dada. Man weiß nur, daß die Dadaisten Herrschaften sind, welche das Publikum — wie sagt man? verhühnerpipeln, und da es auf der Welt kein idyllischeres Land gibt als Holland, so sind für Sie die Aussichten hier schlecht.

In ganz Holland gibt es nur drei wahre Dadaisten: die andern heißen Bloomfield und Sieg van Menk. (Leben ganz bescheiden. Käse hauptsächlich. Gehen ganz ruhig ihrem Beruf nach. Besuchen eifrig alle Chaplin-Films.) Sie wissen doch, daß Charlie Chaplins Vater Adolf Zeppelin hieß und aus Mannheim gebürtig ist, wenn auch nicht verwandt mit dem Grafen von Zeppelin, dem bekannten Luftschiff, wie neulich der Nieuwe Rotterdamsche Courant schrieb: In der Gründerzeit wanderte Adolf nach Amerika aus, wo ihm in Chicago in der berüchtigten Easystreet — er hatte dort eine kleine Bar — ein Knäblein geboren wurde, das er Charlie nannte. Charlie wurde als Dreijähriger von einem wandernden Zirkus gestohlen, als Akrobat ausgebildet, kam später nach England, wurde dort von L. Weinbergen für seine

*) holländisch-deutsch (Anm. d. Herausg.).

Filmgesellschaft in Washington U. S. engagiert und kam so wieder nach Amerika, wo er heute der bestbezahlte Filmkünstler ist. So wurde aus dem kleinen einfachen Karlchen Zeppelin in konsequentem Dadaismus Charlie Chaplin the greatest artist of the world. Damit wollte ich nur sagen, daß wir hier ganz abgeschlossen leben. Wenn ein Brief von Ihnen kommt, zeige ich ihn gleich Bloomfield, wenn er um 3 Uhr von der Beurs kommt. Oder wir singen am Rembrandtplein auch manchmal längst der Amstel die reizvollen Mehringschen Kouplets. Abends weinen wir dann noch, oft mehrere Stunden.

Also bester Huelsenbeck hou je taai

Ihr Citroen-Dada.

Erste Dadarede in Deutschland,

gehalten von R. Huelsenbeck im Februar 1918 (Saal der Neuen Sezession. I. B. Neumann).

Meine Damen und Herren!

Der heutige Abend ist als Sympathiekundgebung für den Dadaismus gedacht, eine neue internationale „Kunstrichtung", die vor zwei Jahren in Zürich gegründet wurde. Unter den Initiatoren dieser schönen Sache waren Hugo Ball, Emmi Hennings, der Maler Slodki, die Rumänen Marcel Janco und Tristan Tzara, zuguterletzt ich selbst, der ich heute die Ehre habe, an dieser Stelle für meine alten Kameraden und unsere alten-neuen Ansichten Propaganda zu machen. Hugo Ball, ein großer Künstler und größerer

Paul Citroen (Amsterdam),
der zusammen mit Jan Blomfield die Dada-Centrale
in Holland leitet. (Aufgenommen im Juli 1920.)

Mensch, ein gänzlich unsnobistischer, unliterarischer Mensch, gründete 1916 in Zürich das Cabaret Voltaire, aus dem sich mit unserer Hilfe der Dadaismus entwickelte. Der Dadaismus war notgedrungen ein internationales Produkt. Man mußte etwas Gemeinsames zwischen den Russen, Rumänen, Schweizern und Deutschen finden. Es gab einen Hexensabbath, wie Sie ihn sich nicht vorzustellen vermögen, ein Trara von morgens bis abends, ein Taumel mit Pauken und Negertrommeln, eine Ekstase mit Steps und kubistischen Tänzen. Die Rumänen kamen von Frankreich, liebten Apollinaire, Max Jakob wußten viel von Barzun, Poème et Drame und den Kubisten. Aus Italien schrieb Marinetti, Palazeschi, Savignio. Wir Deutschen standen ziemlich harmlos da. Ball war tatsächlich der einzige, der die Probleme der futuristischen und kubistischen Richtungen in sich aufgenommen und verarbeitet hatte. Vielleicht befinden sich einige unter Ihnen, die ihn im Jahre 1915 hier in Berlin auf dem Expressionisten-Abend reden hörten, den ich mit ihm veranstalten konnte. Das sind in der Tat die expressionistischsten Gedichte gewesen, die Deutschland jemals gehört hat. Ball brachte seinen „bellenden Hund" mit in die Schweiz, ein Phantasma von einer Stärke, das kleine Leutchen wie Korrodie und Rubiner*) noch heute darunter leiden. Das Cabaret Voltaire war unsere Versuchsbühne,

---

*) hat sich an „melioristischen" Theorien übernommen und ist im Frühjahr 1920 gestorben. R. I. P. S.

wo wir tastend unsere Gemeinsamkeiten zu verstehen suchten. Wir machten zusammen einen wunderschönen Negergesang mit Klappern, Holzklöppeln und vielen primitiven Instrumenten. Ich gab den Vorsänger, eine fast mythische Gestalt. Trabaja, Trabaja la mojere — — — mit vielem Schmalz. Die Kunstgewerbler von ganz Zürich begannen einen geschlossenen Feldzug gegen uns. Das war das schönste: jetzt wußten wir, mit wem wir es zu tun hatten. Wir waren gegen die Pazifisten, weil der Krieg uns die Möglichkeit gegeben hatte, überhaupt in unserer ganzen Gloria zu existieren. Und damals waren die Pazifisten noch anständiger wie heute, wo jeder dumme Junge mit seinen Büchern gegen die Zeit die Konjunktur ausnützen will.*) Wir waren für den Krieg und der Dadaismus ist heute noch für den Krieg. Die Dinge müssen sich stoßen: es geht noch lange nicht grausam genug zu. Im Cabaret Voltaire versuchten wir zuerst, unsere kubistischen Tänze mit Masken von Janco, selbstgefertigten Kostümen aus bunter Pappe und Flitter. Tristan Tzara, der heute die dadaistischen Hefte in Zürich herausgibt, erfand die Darstellung des Poème simultan für die Bühne, ein Gedicht, das in verschiedenen Sprachen, Rhythmen, Tönen zugleich von mehreren Personen vorgetragen wird. Ich erfand das concert des voyelles und das poème bruitiste, eine Mischung aus Gedicht und bruitistischer Musik, wie sie durch die Futuristen mit dem reveil de la capitale berühmt geworden ist. Die Erfindungen regneten, Tzara erfand das poème

*) 1918. z. B. der jetzt eingegangene Verlag Berger u. Co.

statique, eine Art optisches Gedicht, auf das man sieht wie auf einen Wald, ich selbst initiierte das poème mouvementiste, Vortrag mit primitiven Bewegungen, wie er bis jetzt in dieser Weise noch nicht gemacht worden ist.

Meine Herrschaften — so entstand der Dadaismus, ein Brennpunkt internationaler Energien. Den Kubismus hatten wir satt, das nur Abstrakte begann uns zu langweilen. Man kommt von selbst zum Realen, sobald man sich rührt und ein lebendiger Mensch ist. Der Futurismus, wie er existierte, war eine ausschließlich italienische Angelegenheit, ein Kampf gegen die fürchterliche Antike mit ihrem aalglatten Geschäftskönnen, die dort jedes Talent zu Boden schlägt. Der Futurismus, der hier in Deutschland, wo wir in allen Dingen die Ehre haben, die Letzten zu sein, noch bis vor kurzem von krassen Ignoranten und Hohlköpfen als Hokuspokus verachtet worden ist, weil seine Verse schlecht oder unverständlich waren, dieser Futurismus, meine Herrschaften, war ein Kampf gegen die Apollostatue gegen die Cantilene und den bel canto*) — aber was hatten wir Dadaisten damit zu tun? Weder etwas mit dem Futurismus, noch etwas mit dem Kubismus. Wir waren etwas Neues, wir waren die Dadas, Ball-Dada, Huelsenbeck-Dada, Tzara-Dada. Dada ist ein Wort, das in allen Sprachen existiert — es drückt nichts weiter aus, als die Internationalität der Bewegung, mit dem kindlichen Stammeln, auf das man es zurückführen wollte, hat es nichts zu tun. Was

---

*) siehe dazu Däubler „Im Kampf um die neue Kunst“.

ist nun der Dadaismus, für den ich heute abend hier eintreten will? Er will die Fronde der großen internationalen Kunstbewegungen sein. Er ist die Ueberleitung zu der neuen Freude an den realen Dingen. Da sind Kerle, die sich mit dem Leben herumgeschlagen haben, da sind Typen, Menschen mit Schicksalen und der Fähigkeit zu erleben. Menschen mit geschärftem Intellekt, die verstehen, daß sie an eine Wende der Zeit gestellt sind. Es ist nur ein Schritt bis zur Politik. Morgen Minister oder Märtyrer in der Schlüsselburg. Der Dadaismus ist etwas, was die Elemente des Futurismus oder der kubistischen Theoreme in sich überwunden hat. Er muß etwas Neues sein, denn er steht an der Spitze der Entwicklung und die Zeit ändert sich mit den Menschen, die fähig sind, verändert zu werden. „Die phantastischen Gebete“, aus denen ich Ihnen nachher einiges vortragen werde, sind im Dada-Verlage*) erschienen und tragen, wie ich hoffe, das Kolorit dieser Bewegung.

Dada-Telegramm.

Anläßlich der Eroberung Fiumes durch Gabriele d'Annuncio hat der Club Dada an den Corriere della sera folgendes Telegramm gesandt:

Illmo Signore Gabriele d'Annunzio
Corriere della sera, Milano.

Wenn Alliierte protestieren, bitten Club Dada, Berlin, anrufen. Eroberung dadaistische Großtat,

*) jetzt Malik-Verlag, Berlin-Halensee.

für deren Anerkennung mit allen Mitteln eintreten werden. L'atlante mondiale dadaistico DADAKO (editore Kurt Wolff, Leipzig)*) risconosce Fiume gia come città italiana. Ai 15, 333.

Club Dada.

Huelsenbeck. Baader. Grosz.

A Madame RACHILDE,

femme de lettres et bonne patriote.

Madame,

Vous vous présentez seule, avec votre seule nationalité française, je vous en félicite. Je suis, moi, de plusieurs nationalités et Dada est comme moi.

Je suis né à Paris, d'une famille cubaine, espagnole, française, italienne, américaine, et le plus étonnant, c'est que j'ai l'impression très nette d'être de toutes ces nationalités à la fois!

C'est sans doute une des formes de la démence précoce, je préfère toutefois celle-ci à celle qui affectait, Guillaume II, se croyant l'unique représentant de l'unique Allemagne.

Guillaume II et ses amis étaient de bons patriotes, tout comme vous, Madame . . .

Veuillez agréer mes hommages les plus respectueux.

FRANCIS PICABIA.

---

*) Konnte nicht erscheinen.

Kritiken aus allen Zeitungen der Welt.

Le Temps, 30. März 1920.

A leur accent, on reconnaissait aisément des nationaux de ce „Proche Orient“ qui se consolent aujourd'hui, à Paris, de la pénitence que leur imposa la guerre. N'ai-je pas lu, dans „391“ que „c'est Tristan Tzara „le calicot“ de nationalité roumaine, qui trouva le mot „Dada“ Toutefois, rien n'est spécifiquement roumain ni balkanique dans „Dada“. Cette muse monstrueuse vient de moins loin. M. Henri Albert, qui n'a pas cessé d'être attentif au mouvement des „Lettres allemandes“, écrivait récemment dans le Mercure: „Si les Allemands avouent qu'ils ont pris en France le mot“ expressionisme“, en le détournant de sa signification, ils peuvent, par contre, revendiquer à juste titre la paternité du Dadaïsme. Le Dadaïsme a été imaginé en 1917 par des Allemands réfugiés à Zurich pour fuir les multiples désagréments de la guerre, impropres ou insoumis, aux nerfs détraqués, et qui ont voulu revenir à la santé en imitant les balbutiements de la prime enfance. Apollinaire, qui avait le goût de la mystification, s'était amusé de ces excentricités et leur avait donné son appui. Des tentatives récentes pour les importer en France ont rencontré l'accueil sympathique que nous réservons à tous les novateurs. Pourtant Dadaïsme avait quelque chose de trop germanique et de trop pédant, pour plaire à nos snobs, épris d'art primitif et de poésie de sentiment. Il a donc fallu modifier la raison sociale. De même que l'Allgemeine Electricitaets-Gesellschaft, quand elle a créé chez nous une filiale, avant la guerre, s'est appelée „Société française d'électricité", le Dadaïsme, en s'installant chez nous, est devenu le Mouvement Dada."

Le Figaro, März 1920.

Ce fut un beau chahut. Aucune tentative „artistique", même la plus audacieuse, ne déchaîna jamais un tel tumulte. Ni U bu Roi, ni le Roi Bombance, prétextes à des séances désormais historiques, ne furent si magnifiquement „emboîtés". Il est juste de dire que les réalisations de l'OEuvre et que les essais futuristes se réclamaient, non sans raison, de l'Art et de la Littérature, et que les Dadas ne se réclament absolument de rien ni de personne. Le public a donc hué, sifflé, bafoué les Dadas, qui ont accueilli les injures avec des visages épanouis. On se serait cru chez les fous, et le vent de folie soufflait aussi bien sur la scène que sur la salle. Les Dadas ont exaspéré les spectateurs et je pense que c'est tout ce qu'ils désiraient, exactement.

Grecia (Sevilla) 20. September 1919.

—El movimiento "dadaísta" funde, en una potencialísima asunción, los anhelos rebasa, dores de los últimos poetas Huelsenbeck, Arensberg, Birot, Cocteau, Reverdy, Moscardelli, María D'Arezzo, Cantarelli, Settimelli y Savinio, con los de los pintores Arp, Janco, Eggeling, Rees Picabia, Richter, Prampolini, Klee, Haussmann y Segal.—Tristán

Tzará dirige con Francis Picabia la revista "391", y losAl bums DADA, de periodicidad indeterminada.— Tzará ha publicado hasta hoy: "Npala Garroo", "La première aventure céleste de Mr. Antipyrine" y "Vingt-cinq poèmes". En todos sus poemas resalta curvilíneamente—al vórtice de su estructura inconexa ilógica y antigramatical—la trayectoria inaprehensible de su espíritu caótico, preso de neblinosos espamos.

Comoedia (Paris) 1920.

Peut-être conviendrait-il d'examiner le dadaïsme au point de vue de la connaissance psychologique. Ce procédé nous permettrait de nous orienter parmi trop d'interprétations hésitantes.

„Le dadaïsme, écrit Huelsenbeck, un des chefs „du mouvement, c'est le premier vagissement du „nouveau-né. Dada. Nous ne sommes plus des „nourrissons, mais des aèdes qui voulons tout recom-„mencer."

Cette définition parfaitement claire révèle une tendance bien connue en psychologie et baptisée: régission à l'enfance.

Egerer Zeitung, März 1920.

Die Dadaistenführer Huelsenbeck, Hausmann und Baader sind auf ihrer Tournee, die sie durch ganz Europa führt (sie wollen nächstens mal auch nach Amerika hinüber), nach Böhmen gekommen und haben das Publikum von Prag, Karlsbad, Teplitz und Brüx in die gewünschte Rage gebracht.

Züricher Morgenzeitung 1919.

Dada. Wir waren letzte Woche zu einer Soiree in die „Meise" geladen. Das Programm verhieß Vorlesungen des Herrn Tristan Tzara, Mitbegründer der Dadabewegung. Es war ein Erlebnis, es war die Höhe. Es war unaussprechlich nett. Dada ist eine Kunstrichtung, deren Benennung sich schon in der Richtung des französischen Säuglingsvolapüks orientiert: dadadada! Dafür ist man immer empfänglich. Im Vestibül ergingen sich Dadafiguren, Frauen in strammanliegenden Kleidern, mit kurzgeschnittenen Haaren und männlichen Zügen. Auch beim Zigarettenrauchen. Die Pünktlichkeit der Vorlesung war ganz auf Dada eingestellt: eine halbe Stunde wurde zwischen angekündigten Beginn und wirklichen Anfang geschoben. Wie ein Keil (wir nehmen jetzt Dadasprache an). Dann, dunkel, dämmrig, junger Mann, Zwicker, bleich, mager vortritt. Sagt: Mein Kopf ist leer wie ein Bordellschrank (was man ihm glaubt): Sagt: Mein Herz ist in eine Zeitung versenkt (was man nicht merkt) stöhnt: Die Herzen und die Augen rollen in meinen Mund (wie unappetitlich!). Hat Aesthetik, denn: Ich fürchte mich, in ein Haus zu treten, wo die Balkone symmetrisch angeordnet sind (darum Flucht vor dem Steueramt). Und so fort. Applaus, Licht, Schweiß, Schluß. — Nun, man braucht kein Satiriker zu sein; aber diese Dadaisten ziehen die Gedankenschnörkel zu kraus. Man muß schon pathologisch veranlagt sein, um da was herauszulesen. Gleichwohl kann man manches lernen: Wie unendlich weit ist man doch hier von der einfachen geraden zum Ziele führenden Straße, von dem natürlichen Ausdruck einer Empfindung abgekommen. Alles ist verbogen und verkeilt, zerstückelt und wirr gewürfelt wie ein kubistisch-futuristisches Gemälde. Wie gesagt, es war unaussprechlich nett und besonders die Dadabücher sind sehr hübsch gedruckt. Gar nicht dadaisch.

Die Schwalbenhode.*)

1.

weh unser guter kaspar ist tot
wer trägt nun die brennende fahne im zopf wer dreht die kaffeemühle
wer lockt das idyllische reh
auf dem meer verwirrte er die schiffe mit dem wörtchen parapluie und die winde nannte er bienenvater
weh weh weh unser guter kaspar ist tot heiliger bimbam kaspar ist tot
die heufische klappern in den glocken wenn man seinen vornamen ausspricht darum seufze ich weiter kaspar kaspar kaspar
warum bist du ein stern geworden oder eine kette aus wasser an einem heißen wirbelwind oder ein euter aus schwarzem licht oder ein durchsichtiger ziegel an der stöhnenden trommel des felsigen wesens

*) Mit Erlaubnis des Malik-Verlags, Berlin-Halensee.

jetzt vertrocknen unsere scheitel und sohlen und die
feen liegen halbverkohlt auf den scheiterhaufen

2.

jetzt donnert hinter der sonne
die schwarze kegelbahn und keiner zieht mehr die
kompasse
und die räder der schiebkarren auf
wer ißt nun mit der ratte am einsamen tisch wer verjagt den teufel wenn er die pferde verführen will
wer erklärt uns die monogramme in den sternen
seine büste wird die kamine aller wahrhaft edlen
menschen zieren doch das ist kein trost und
schnupftabak für einen totenkopf

3.

auf den wasserkanzeln bewegten die kaskadeure ihre
fähnchen wie figura 5 zeigt
die abenteurer mit falschen bärten und diamantenen
hufen bestiegen vermittels aufgeblasener walfischhäute schneiend das podium
der große geisterlöwe harun al raschid sprich harung
al radi gähnte dreimal und zeigte seine vom
rauchen schwarz gewordenen zähne
die merzerisierten klapperschlangen wickelten sich
von ihren spulen mähten ihr getreide und verschlossen es in steine
aus dem saum des todes traten die augen der jungen
sterne
nach der geißelung auf der sonnenbacke tanzten die
hufe des esels auf flaschenköpfen

die toten fielen wie flocken von den ledernen türmen
wieviel totengerippe drehten die räder der tore
als der wasserfall dreimal gekräht hatte erblich seine tapete bis auf das blut und die matrosenmatrize zersprang
aus der tiefe stiegen die schränke und breiteten ihre anker aus
endlich wagte das meer die ohnmacht der bittern kompasse
die glitzernden engel drehten sich in ihren angeln
die gläsernen eulen reichten sich den tod von schnabel zu schnabel
die vögel hingen ihre glasschweife wie wasserfälle aus den felsen
die bäuerinnen trugen ausgebrannte ausgestopfte sonnen in ihrem haar den bäuerinnen nur in ihren kröpfen nur in ihren nickhäuten nur in ihrer lieben kleinen stadt jerusalem wachspuppen auszusetzen erlaubt war Hans Arp.

MANIFEST DADA 1918*)

TRISTAN TZARA

(Gelesen vom Autor am 23. Juli 1918 in der „Meise" in Zürich.)

(Uebertragung aus dem Französischen von Hans Jacob.)

Um ein Manifest zu lanzieren, muß man das ABC wollen, gegen 1, 2, 3 wettern.

---

*) Der Herausgeber betont hierbei, daß er sich als Dadaist mit keiner der hier vorgetragenen Meinungen identifiziert.

Sich abmühn und die Flügel spitzen, um kleine und große ABCs zu erobern und zu verbreiten.

Unterzeichnen, schreien, fluchen, die Prosa in der Gestalt absoluter, unwiderlegbarer Klarheit arrangieren, ihr Non-plus-ultra beweisen und behaupten, daß das Neue dem Leben gleiche wie die letzte Erscheinung einer Cocotte dem Wesen Gottes. Dessen Existenz wurde bereits durch die Ziehharmonika, die Landschaft und das sanfte Wort bewiesen. Sein eigenes ABC aufzwingen, ist eine ganz natürliche — also bedauerliche Angelegenheit. Das tut jedermann in Gestalt von Kristallbluffmadonnen, Münzsystem, pharmazeutischen Produkten und nackten, den **heißen** unfruchtbaren Frühling verheißenden Beinen. Die Liebe zum Neuen ist sympathisches Kreuz, Beweis einer naiven Wurschtigkeit, grundloses, vorübergehendes, positives Zeichen. Aber dieses Bedürfnis ist bereits veraltet. Dokumentiert man die Kunst durch die höchste Einfachheit: Neuheit, so ist man menschlich und echt für das **Vergnügen,** impulsiv vibrierend, um die Langeweile zu kreuzigen. Am Scheidewege der Lichter, **wachsam,** aufmerksam im Walde den Jahren auflauernd.

Ich schreibe ein Manifest und will nichts, trotzdem sage ich gewisse Dinge und bin aus Prinzip gegen Manifeste, wie ich auch gegen die Prinzipien bin — (Decilitermasse für den moralischen Wert jeder Phrase — zu viel Bequemlichkeit; die Approximation wurde von den Impressionisten erfunden.) Ich schreibe dieses Manifest, um zu zeigen, daß man mit einem einzigen frischen Sprung entgegengesetzte Handlungen gleichzeitig begehen kann; ich bin gegen die Handlung; für den fortgesetzten Widerspruch, für die Bejahung und bin weder für noch gegen und erkläre nicht, denn ich hasse den gesunden Menschenverstand.

Dada — dies ist ein Wort, das die Ideen hetzt; jeder Bürger ist ein kleiner Dramaturg, erfindet verschiedene Auffassungen, anstatt die der Qualität seiner Intelligenz entsprechenden Personen zu plazieren, Schmetterlingspuppen auf Stühlen, sucht er — (nach der psychoanalytischen Methode, die er anwendet) — Ursachen und Ziele, um seine Intrigue zu zementieren: Geschichte, die von selbst spricht und sich definiert. Jeder Zuschauer ist ein Intrigant, wenn er ein Wort zu erklären sucht (zu kennen!) Aus dem wattierten Schlupfwinkel gewundener Komplikationen läßt er seine Instinkte manipulieren. Daher das Elend des Ehelebens.

Erklären: Zeitvertreib der Rothäute mit den Mühlen für hohle Schädel.

Dada bedeutet nichts

Wenn man es für nichtig hält und seine Zeit mit einem Wort verlieren will, das nichts bedeutet . . . Der erste Gedanke, der sich in diesen Köpfen wälzt, ist bakteriologischer Art: seinen ethymologischen, historischen, wenigstens aber seinen psychologischen Ursprung finden. Aus den Zeitungen erfährt man, daß die Kruneger den Schwanz einer heiligen Kuh:

Dada nennen. Der Würfel und die Mutter in einer gewissen Gegend Italiens: Dada. Ein Holzpferd, die Amme, doppelte Bejahung im Russischen und Rumänischen: Dada. Weise Journalisten sehen in ihm eine Kunst für die Säuglinge, andere Heilige-tägliche-Jesus-läßt-die-Kindlein-zu-sich-kommen, die Rückkehr zu einem trockenen und lärmenden, lärmenden und eintönigen Primitivismus. Man konstruiert nicht auf ein Wort die Empfindsamkeit; jede Konstruktion läuft auf langweilige Vollendung hinaus, stagnierende Idee eines vergoldeten Sumpfes, relatives menschlisches Produkt. Das Kunstwerk soll nicht das Schöne an sich sein, denn es ist tot; weder heiter noch traurig, weder hell noch dunkel, soll es die Individualitäten erfreuen oder mißhandeln, indem es ihnen die Kuchen heiliger Aureolen oder die Schweiße eines quer durch die Atmosphären gesteilten Laufes aufwartet. Ein Kunstwerk ist niemals schön, auf Beschluß schön, objektiv für alle. Folglich ist Kritik unnütz, sie existiert lediglich subjektiv für den einzelnen ohne den geringsten Charakter von Allgemeingültigkeit. Glaubt man die der ganzen Menschheit gemeinsame psychische Basis gefunden zu haben? Der Versuch Jesus und die Bibel decken mit ihren breiten wohlwollenden Flügeln: die Scheiße, die Tiere, die Tage. Wie will man das Chaos ordnen, das die unendlich-unförmige Variation bildet: den Menschen? Der Grundsatz: „Liebe Deinen Nächsten“ ist Heuchelei. „Erkenne Dich selbst“ ist eine Utopie, aber annehmbarer, denn sie enthält das Böse.

Kein Mitleid. Nach dem Blutbad bleibt uns die Hoffnung auf eine geläuterte Menschheit.

Ich spreche immer von mir, da ich nicht überzeugen will, ich habe kein Recht, andere in meinen Strom mitzureißen, ich verpflichte niemanden, mir zu folgen, jeder macht seine Kunst auf seine Art, wenn er die Freude kennt, die zu Pfeilen zu den Astralschichten steigt oder die, die in den Schächten von Kadaverblumen und fruchtbaren Spasmen taucht. Stalaktyten: die überall suchen, in den schmerzgeweiteten Krippen mit weißen Augen wie die Hasen der Engel.

So entstand **Dada** *) aus einem Bedürfnis von Unabhängigkeit, des Mißtrauens gegen die Gemeinsamkeit. Die zu uns gehören, behalten ihre Freiheit. Wir anerkennen keine Theorie. Wir haben genug von den kubistischen und futuristischen Akademien: Laboratorien für formale Gedanken. Macht man Kunst, um Geld zu verdienen und die netten Bürger zu streicheln? Die Reime klingen von der Assonanz der Münzen, und die Inflexion gleitet die Linie des Bauchprofils entlang. Alle Künstlergruppen haben, auf verschiedenen Kometen reitend, auf dieser Bank geendet.

Hier, in der fetten Erde, werfen wir Anker. Hier haben wir das Recht zu proklamieren, denn wir haben die Schauer und das Erwachen kennen gelernt. Von Energie trunkene Gespenster bohren wir den Drei-

*) 1916 im Cabaret Voltaire in Zürich.

zack ins ahnungslose Fleisch. Wir sind Geriesel von Verwünschungen in der tropischen Ueberfülle berauschender Vegetationen, unser Schweiß ist Gummi und Regen, wir bluten und brennen Durst, unser Blut ist Kraft.

Der Kubismus entstand aus der einfachen Art, den Gegenstand zu betrachten: Cézanne malte eine Tasse 20 Centimeter tiefer als seine Augen, die Kubisten sahen sie ganz von oben; andere komplizieren die Erscheinung, indem sie einen senkrechten Schnitt machen und sie brav an die Seite setzen. Der Futurist sieht dieselbe Tasse in Bewegung, Reihenfolge nebeneinandergesetzter Gegenstände, denen er mutwilligerweise einige Linienkräfte beifügt. Das ändert nichts daran, daß die Leinwand ein gutes oder schlechtes, für die intellektuellen Kapitalanlagen bestimmtes Gemälde ist.

Der neue Maler schafft eine Welt, deren Elemente auch ihre Mittel sind, ein nüchternes, bestimmtes, argumentloses Werk. Der neue Künstler protestiert: er malt nicht mehr / symbolistische und illusionistische Reproduktion/, sondern er schafft unmittelbar in Stein, Holz, Eisen, Zinn Blöcke von Lokomotivorganismen, die durch den klaren Wind des Augenblicks nach allen Seiten gedreht werden können. Jedes malerische oder plastische Werk ist unnütz; sei es ein Monstrum, das Sklavenseelen Furcht einflößt, und nicht zärtlich, um Speisesäle der in Menschenkostüme gesteckten Tiere zu schmücken, Illustrationen dieser Fabel der Menschheit.

Ein Gemälde ist die Kunst, vor unseren Augen auf einer Leinwand zwei geometrische als parallel festgestellte Linien in einer Wirklichkeit einander begegnen zu lassen, die in eine Welt mit anderen Bedingungen und Möglichkeiten versetzt Diese Welt ist im Werk weder spezifisch noch fest umrissen, gehört in ihren unzähligen Variationen dem Betrachter. Für ihren Schöpfer ist sie ohne Ursache und ohne Theorie.

Ordnung-Unordnung, Ich-Nicht-Ich, Bejahung-Verneinung: höchste Ausstrahlungen absoluter Kunst. Absolut in Reinheit geordnetes Chaos ewig in Sekundenkugel ohne Dauer, ohne Atem, ohne Licht, ohne Kontrolle. — // Ich liebe ein altes Werk um seiner Neuheit willen. Es ist nur der Kontrast, der uns an die Vergangenheit bindet.

Die Schriftsteller, die Moral lehren und die psychologische Basis diskutieren und verbessern, haben, ganz abgesehen von einer verhüllten Gier nach Gewinn, eine lächerliche Kenntnis des Lebens, das sie klassifizieren, einteilen, kanalisieren; hartnäckig wollen sie die Kategorien nach ihrer Pfeife tanzen sehen. Ihre Leser grinsen und fahren fort: wozu?

Es gibt eine Literatur, die nicht bis zur gefräßigen Masse vordringt. Schöpferwerk, geboren aus einer wirklichen Notwendigkeit des Verfassers und für ihn selbst. Erkenntnis des höchsten Egoismus, wo die Gesetze verbleichen. ■ Jede Seite muß explodieren durch den tiefen und schweren Ernst, den

Wirbel, den Rausch, das Neue, das Ewige, durch den zerschmetternden Bluff, durch die Begeisterung der Grundsätze oder durch die Art, wie sie gedruckt ist. Das ist eine schwankende Welt, auf der Flucht, den Schellen der höllischen Tonleiter vermählt, und auf der andern Seite: neue Menschen. Heftig, sich bäumend, Reiter des Glucksens. Eine verstümmelte Welt und die literarischen Medikaster haben Verbesserungsideen.

Ich sage euch: es gibt keinen Anfang, und wir zittern nicht, wir sind nicht sentimental. Wir zerreißen, wütender Wind, die Wäsche der Wolken und der Gebete und bereiten das große Schauspiel des Unterganges vor, den Brand, die Zersetzung. Bereiten wir die Unterdrückung der Trauer vor und ersetzen wir die Tränen durch Sirenen, gespannt von einem Kontinent zum andern. Standarten der intensiven Freude und Witwer der Gifttraurigkeit. ■ Dada ist das Wahrzeichen der Abstraktion; die Reklame und die Geschäfte sind auch poetische Elemente. ■

Ich zerstöre die Gehirnschubkästen und die der sozialen Organisation: überall demoralisieren, die Hand vom Himmel in die Hölle werfen, die Augen von der Hölle in den Himmel, das fruchtbare Rad eines Weltzirkus wieder aufrichten in den realen Mächten und der Phantasie jedes Individuums.

Die Philosophie ist die Frage: von welcher Seite soll man beginnen, das Leben, Gott, die Idee oder die andern Erscheinungen zu betrachten. Alles, was man erblickt, ist falsch. Ich halte das relative Ergebnis für nicht wesentlicher als die Wahl zwischen Kuchen und Kirschen nach dem Essen. Die Art, schnell die andere Seite einer Sache zu betrachten, um indirekt seine Meinung durchzusetzen, nennt man Dialektik, das heißt den Geist der Bratkartoffelkrämer, indem man ihn methodisch umtanzt.

Wenn ich schreie:

Ideal, Ideal, Ideal
Erkenntnis, Erkenntnis, Erkenntnis
Bumm-Bumm, Bumm-Bumm, Bumm-Bumm

habe ich ziemlich genau den Fortschritt, das Gesetz, die Moral und alle andern schönen Dinge aufgezählt, die verschiedene sehr intelligente Leute in dicken Büchern erörtert haben, um schließlich zu erklären, daß trotz allem jeder nach seinem persönlichen Bummbumm getanzt hat, und daß er für sein Bummbumm recht hat, Befriedigung krankhafter Neugier; Privatklingelei für unerklärliche Bedürfnisse; Bad pekuniärer Schwierigkeiten; Magen mit Rückwirkung auf das Leben; Autorität des mystischen Taktstocks, geformt als Bouquet, Orchesterphantom mit stummen Bögen — — — — — — — —.
Mit der blauen Brille eines Engels haben sie das Innere durchwühlt für eine Mark*) einstimmiger Anerkennung. ■ Wenn alle recht haben, und wenn alle Pillen Pillen sind, so versuchen wir doch einmal,

*) Nach der Valuta von heute 4.50 Mark.

nicht recht zu haben. ■ Man glaubt durch den Gedanken rational das erklären zu können, was man schreibt. Aber das ist sehr relativ. Der Gedanke ist ein schönes Ding für die Philosophie, aber er ist relativ. Die Psychoanalyse ist eine gefährliche Krankheit, schläfert die anti-reellen Neigungen des Menschen ein und systematisiert die Bourgoisie. Es gibt keine letzte Wahrheit. Die Dialektik ist eine vergnügliche Maschine, die uns (auf recht banale Weise) zu den Meinungen führt, die wir auf alle Fälle gehegt hätten. Glaubt man wirklich durch das peinliche Raffinement der Logik die Wahrheit bewiesen und die Genauigkeit dieser Meinungen festgelegt zu haben? Die durch die Sinne eingeengte Logik ist eine organische Krankheit. Die Philosophen pflegen diesem Element gern: die Fähigkeit zur Beobachtung hinzuzufügen. Aber gerade diese herrliche Eigenschaft des Geistes ist der Beweis für seine Ohnmacht. Man beobachtet, man betrachtet von einem Gesichtspunkt oder mehreren Gesichtspunkten, man wählt sie aus den Millionen heraus. Die Erfahrung ist auch ein Ergebnis des Zufalles und der individuellen Eigenschaften. ■ Die Wissenschaft stößt mich ab, sobald sie zum spekulativen System wird, sie verliert ihren Nützlichkeitscharakter — der so unnütz, aber wenigstens individuell ist. Ich hasse die fette Objektivität und die Harmonie, jene Wissenschaft, die alles in Ordnung findet. Fahrt so fort, liebe Kinder, Menchlichkeit. . . . Die Wissenschaft, die da sagt, wir seien die Diener der Natur: alles ist in Ordnung, liebt euch und zerschlagt euch die Schädel. Fahrt fort, liebe Kinder, Menschlichkeit, liebe Bürger und jungfräuliche Journalisten. . . . ■ Ich bin gegen die Systeme, das annehmbarste System ist das, grundsätzlich keines zu haben. ■ Sich vervollständigen, sich in seiner eigenen Kleinheit vervollkommnen, bis man das Gefäß seines Ich ausfüllt, Kampfesmut für und gegen den Gedanken, Mysterium des Brotes, plötzliches Stoppen der höllischen Luftschraube in sparsame Lilien:

Der spontane Dadaismus.

Ich nenne Wurschtigkeit den Zustand eines Lebens, in dem jeder seine eigenen Voraussetzungen behält, immerhin aber die andern Individualitäten zu achten versteht und sich zu verteidigen, Twostep wird Nationalhymne, Antiquitätengeschäft, D. T. drahtlose Telephonie verwandelt die Fugen von Bach, Lichtreklamen und Plakate für Bordells, die Orgel verteilt Nelken für den lieben Gott, all das zusammen in Wirklichkeit ersetzt die Photographie und den einseitigen Katechismus.

Die aktive Einfachheit.

Die Ohnmacht zwischen den Graden der Helligkeit unterscheiden zu können: das Helldunkel lecken und im großen Munde voll Honig und voller Exkremente schwimmen. An der Leiter Ewigkeit gemessen, ist jede Handlung vergeblich — (wenn wir den Gedanken ein Abenteuer bestehen lassen, dessen Ergebnis unermeßlich grotesk wäre — wichtiger Anhaltspunkt für die Erkenntnis der menschlichen Ohnmacht.) Aber so das Leben ein schlechter Spaß, ohne Ziel und Anfangsgeburt ist, und weil wir glauben uns sauber, als gewaschene Crysantemen aus der Affäre ziehen zu müssen, haben wir als einzige Verständigungsbasis: die Kunst proklamiert. Sie hat nicht die Bedeutung, die wir, Raufbolde des Geistes, ihr seit Jahrhunderten ansingen. Die Kunst betrübt niemanden und die sich um sie zu bemühen wissen, erhalten Liebkosungen und die schöne Gelegenheit, das Land ihrer Konversation zu bevölkern. Kunst ist Privatsache, der Künstler macht sie für sich; ein verständliches Werk ist Journalistenprodukt und weil es mir in diesem Augenblick gefällt, das Monstrum mit Oelfarben zu mischen: Papiertube, Metallersatz, die man drückt und automatisch Haß, Feigheit, Gemeinheit ausspritzt. Der Künstler, der Dichter freut sich am Gift der in einem Rayonchef jener Industrie kondensierten Masse, er ist glücklich, beschimpft zu werden: Beweis seiner Unveränderlichkeit. Der Autor, der Künstler. den die Zeitungen loben, stellt die Verständlichkeit seines Werkes fest: elendes Futter eines Mantels zu öffentlichem Nutzen; Lumpen, die die Brutalität bedecken, Pisse, an der Wärme eines Tieres mitwirkend, das niedrige Instinkte ausbrütet. Welkes und abgeschmacktes Fleisch, das sich mit Hilfe typographischer Mikroben vervielfältigt. ■ Wir haben die weinerliche Neigung in uns angerempelt. Jegliche Filtration dieser Natur ist eingemachte Diarrhoe. Diese Kunst ermutigen, heißt sie verdauen. Wir brauchen starke, grade, genaue und auf ewig unverständliche Werke. Logik ist Komplikation. Logik ist immer falsch. Sie zieht die Begriffe am Faden, Worte, in ihrer formellen Aeußerlichkeit, hin zu den Enden illusorischer Mittelpunkte. Ihre Ketten töten, gewaltiger Tausendfuß, erstickt die Unabhängigkeit.

Mit der Logik vermählt würde die Kunst im Incest leben, würde ihren eigenen Schwanz, immer ihren Körper verschlucken und in sich hineinschlingen, sich in sich selbst verkrampfend, und das Temperament würde ein wüster Traum, vom Calvinismus verteert, ein Monument, ein Haufen grauer schwerer Eingeweide. ■ . . . . Aber die Geschmeidigkeit, der Enthusiasmus und selbst die Freude an der Ungerechtigkeit, jene kleine Wahrheit, die wir unschuldig, ausüben und die uns schön macht: wir sind fein und unsere Finger sind geschickt und gleiten wie Zweige jener einschmeichelnden und fast flüssigen Pflanze; sie bestimmt unsere Seele, sagen die Zyniker. ■ Das ist auch ein Gesichtspunkt; aber, glücklicherweise nicht alle Blumen sind heilig, und was in uns göttlich ist, ist das Erwachen der anti-menschlichen Handlung. Es handelt sich hier um eine Papierblume für das Knopfloch jener Herren, die auf den Ball des maskierten Lebens gehen, Grazienküche, weiße Cousinen, geschmeidig oder fett. ■ Sie handeln mit dem, was wir ausgelesen haben. ■ Widerspruch und Einigkeit der Pole in einem Wurf kann Wahrheit sein. Wenn man für alle Fälle darauf hält, diese Banalität, Anhängsel einer lüsternen, übelriechenden Moralität, auszusprechen. Die Moral verkümmert wie jedes

Eröffnung der ersten großen Dada-Ausstellung

in den Räumen der Kunsthandlung Dr. Burchard, Berlin, am 5. Juni 1920.

Von links nach rechts: Hausmann, Hanna Höch, Dr. Burchard, Baader, W. Herzfelde, dessen Frau, Dr. Oz, George Grosz, John Heartfield.

Geißelfabrikat der Intelligenz. Die Kontrolle der Moral und der Logik haben uns den Polizisten gegenüber Unempfindlichkeit eingeprägt — Ursache der Versklavung, stinkende Ratten, von denen die Bäuche der Bürger voll sind, und die die einzigen Corridore aus hellem und sauberem Glas verseucht haben, die den Künstlern offen blieben.

Jeder Mensch schreie: es gibt eine große Zerstörungsarbeit. Ausfegen, säubern. Die Sauberkeit des Einzelnen bestätigt sich nach dem Zustand des Wahnsinns, des aggressiven vollkommenen Wahnsinns einer Welt in den Händen von Banditen, die einander zerreißen und die Jahrhunderte zerstören. Ohne Zweck und Absicht, ohne Organisation: unzähmbarer Wahnsinn, Zersetzung. Die durch das Wort oder durch die Kraft Starken werden überleben, denn sie sind schnell in der Verteidigung, Behendigkeit der Glieder und der Empfindungen flammt auf ihren facettierten Lenden.

Die Moral hat Mitleid und Güte bestimmt, zwei Seifenblasen, die wie Elefanten Planeten gewachsen sind, und die man gut nennt. Sie haben nichts von Güte. Die Güte ist klar, hell und entschieden, unerbittlich gegenüber dem Kompromiss und der Politik. ■ Die Moralität ist eine Einimpfung von Schokolade in die Adern aller Menschen. Diese Aufgabe ist von keiner übernatürlichen Kraft gestellt, sondern vom Trust der Gedankenkrämer und Universitätswucherer. ■ Sentimentalität: sie sahen eine Gruppe Menschen sich streiten und sich langweilen — und sie erfanden den Kalender und das Medikament Weisheit. Beim Etikettenaufkleben wurde die Schlacht der Philosophen entfesselt (Mercantilismus, Wage, peinliche und kleinliche Masse), und man begriff zum zweiten Male, daß Mitleid ein Gefühl wie die Diarrhoe ist in Bezug auf den Ekel, der der Gesundheit schadet, unreiner Aasfleck, der die Sonne entstellt.

Ich verkünde die Opposition aller kosmischen Eigenschaften gegen die Gonorrhoe dieser faulenden Sonne, die aus den Fabriken des philosophischen Gedankens kommt, den erbitterten Kampf mit allen Mitteln des

dadaistischen Ekels.

Jedes Erzeugnis des Ekels, das Negation der Familie zu werden vermag, ist **Dada**; Protest mit den Fäusten, seines ganzen Wesens in Zerstörungshandlung: **Dada**; Kenntnis aller Mittel, die bisher das schamhafte Geschlecht des bequemen Kompromisses und der Höflichkeit verwarf: **Dada**; Vernichtung der Logik, Tanz der Ohnmächtigen der Schöpfung: **Dada**; jeder Hierarchie und sozialen Formel von unseren Dienern eingesetzt: **Dada**; jeder Gegenstand, alle Gegenstände, die Gefühle und Dunkelheiten; die Erscheinungen und der genaue Stoß paraleller Linien sind Kampfesmittel: **Dada**; Vernichtung des Gedächtnisses: **Dada**; Vernichtung der Archäologie: **Dada**; Vernichtung der Propheten: **Dada**; Vernichtung der Zukunft: **Dada**; Absoluter indiskutabler Glauben an jeden Gott, den spontane Unmittelbarkeit erzeugte: **Dada**; eleganter, vorurteilsloser Sprung von einer Harmonie in die andere Sphäre; Flugbahn eines

Wortes, das wie ein Diskurs, tönender Schrei, geschleudert ist; alle Individualitäten in ihrem Augenblickswahn achten: im ernsten, furchtsamen, schüchternen, glühenden, kraftvollen, entschiedenen, begeisterten Wahn; seine Kirche von allem unnützen, schweren Requisiten abschälen, wie eine Lichtfontäne den ungefälligen oder verliebten Gedanken ausspeien, oder ihn liebkosen — mit der lebhaften Genugtuung, daß das einerlei ist — mit derselben Intensität in der Zelle seiner Seele, insektenrein für wohlgeborenes Blut und von Erzengelkörpern übergoldet. Freiheit: **Dada, Dada, Dada,** aufheulen der verkrampften Farben, Verschlingung der Gegensätze und aller Widersprüche, der Grotesken und der Inkonsequenzen: **Das Leben.**

TRISTAN TZARA

Schall und Rauch.*)

Auf der Flöte groß und bieder
Spielt der Dadaiste wieder,
Da am Fluß die Grille zirpt
Und der Mond die Nacht umwirbt,
Tandaradei.

Ach, die Seele ist so trocken
Und der Kopf ist ganz verwirrt,
Oben, wo die Wolken hocken,
Grausiges Gevögel schwirrt,
Tandaradei.

---

*) aus der Zeitschrift „Der Dada", Herausgeber Raoul Hausmann, Malik-Verlag, Berlin-Halensee.

Ja, ich spiele ein Adagio
Für die Braut, die nun schon tot ist,
Nenn es Wehmut, nenn es Quatsch, — O
Mensch, du irrst so lang du Brot ißt,
Tandaradei.

In die Geisterwelt entschwebt sie,
Nähernd sich der Morgenröte,
An den großen Gletschern klebt sie
Wie ein Reim vom alten Goethe.
Tandaradei.

Dadaistisch sei dies Liedlein,
Das ich Euch zum besten gebe,
Auf zwei Flügeln wie ein Flieglein
Steig es langsam in die Schwebe.
Tandaradei.
Denk an Tzara, denk an Arpen,
An den großen Huelsenbeck!

ALEXANDER SESQui

Eine Erklärung des Club Dada.

Dada ist das Chaos, aus dem sich tausend Ordnungen erheben, die sich wieder zum Chaos Dada verschlingen. Dada ist der Verlauf und der Inhalt des gesamten Weltgeschehens gleichzeitig.

Der Club Dada lädt die ersten Vertreter des besten deutschen Geistes zum Streit über die dadaistischen Grundsätze:

Die Menschen sind Engel und leben im Himmel. Sie selbst und alle Körper, die sie umgeben, sind Weltallkumulationen gewaltigster Ordnung. Ihre chemischen und physikalischen Veränderungen sind zauberhafte Vorgänge, geheimnisvoller und größer als jeder Weltuntergang oder jede Weltschöpfung im Bereich der sogenannten Sterne. Jede geistige und seelische Aeußerung oder Wahrnehmung ist eine wunderbarere Sache als das unglaublichste Begebnis, das die Geschichten von Tausendundeine Nacht schildern. Alles Tun und Lassen der Menschen und aller Körper geschieht zur Unterhaltung der himmlischen Kurzweil als ein Spiel höchster Art, das so vielfach verschieden geschaut und erlebt wird als Bewußtseinseinheiten seinem Geschehen gegenüberstehen. Eine Bewußtseinseinheit ist nicht nur der Mensch, sondern auch alle die Ordnungen von Weltgestalt, aus denen er besteht, und inmitten deren er lebt als Engel. Der Tod ist ein Märchen für Kinder und der Glaube an Gott war eine Spielregel für das Menschenbewußtsein während der Zeit, da man nicht wußte, daß die Erde ein Stück des Himmels ist, wie alles andere. Das Weltbewußtsein hat keinen Gott nötig.

Der Club Dada erbittet dringend auch Ihre Meinung und wird diese in Nr. 5 seiner Veröffentlichungen zur allgemeinen Kenntnis bringen.

CLUB DADA.

13. Mai 1.
BAADER

Hado.

Was bisher über den Dadaismus bekannt wurde, ist unvollständig. Wer über dada unterrichtet sein will, muß sich die Dokumente zeigen lassen, die am

Mittwoch, den 7. Mai,

nachmittags 3 Uhr, in die Hand des Direktors der NATIONALZEITUNG, Viktor Hahn, gegeben wurden. Außerdem die Dokumente, die auf der Reichskanzlei, im Büro des Reichspräsidenten, und seit dem 12. Mai, nachmittags 5½ Uhr, in der Kanzlei der Nationalversammlung liegen.

Das Handbuch des Oberdadaismus ist ein von Hand gefertigtes Buch, in einem einzigen Exemplar, 30/45 cm groß und 15 cm dick. Es kann nach schriftlicher Vereinbarung der Stunde im ZENTRALAMT DES DADAISMUS besichtigt werden. — Trotzalledem bleibt das Innerste des dada Geheimnis. — Freimaurer und Jesuiten sind nicht dada.
(„Dadaisitische Abende“ sind nur Verschleierungen und Flugmaschinen.)

Der internationale Oberdada.

(Die Entente wird an dada sterben!)

Aus der Reihe der Dokumente:

I O A D G D A T T T S A e

16,305

Sprengung der Nationalversammlung am 6. Februar 1919 und Verkündung der PRAESIDENTSCHAFT DES ERDBALLS.
Begründung der neuen Zeitrechnung A. c. 12.
Das Flugzeug des Großen „W".
Geheimer Depeschenwechsel FOCH-ERZBERGER.
Der Tod des Schneidergesellen Baader am 1. April 1.
Worte an SCHEIDEMANN während der Kabinettssitzung des 19. April 1.
Das wahrhafte Instrument des Weltfriedens, übergeben am 7. Mai 1, in Berlin (Kann aus technischen Gründen nicht veröffentlicht werden und ist nur persönlich durch den Besitzer vorzuzeigen.)
Sonderausgabe „Grüne Leiche" A. e. (Gegen Einsendung von 50 Pfennig an das DADAISTISCHE ZENTRALAMT zu beziehen.)
Die Begleitworte zu FRIEDRICH SCHILLER an die Nationalversammlung.

ZENTRALAMT DES DADAISMUS.

Ein Besuch im Cabaret Dada.*)

Also, meine Herren, der Spektakel beginnt, ehe Sie sich's versehen. Wir gingen durch einen langen Gang, jeder eine Kerze in der Hand, vorn die Da-

*) aus der Zeitschrift „Der Dada", Herausgeber Raoul Hausmann. Malik-Verlag, Berlin-Halensee.

men, hinten die Herren. Der Führer in weißem Pelz mit der Mitra auf dem Kopf rief manchmal: „Nehmen Sie die Hände hoch und lassen Sie den Bauch fallen. Greifen Sie nach der Kesselpauke in Ihrem Ohr und ziehen Sie sich den Sarg aus der Nase; denn keiner weiß, wozu es gut ist.“ Dann stieß er in sein Muschelhorn, daß der Kalk von den Wänden fiel. Wir aber fühlten uns stets sehr gesichert, wenn seine Stimme ertönte; denn die Ungewißheit lagerte schwer auf unserer Brust und dem Geheimrat Spätzle, dem bekannten Mitglied der deuschnationalen Volkspartei, begannen die Knie einzusinken, obwohl er sich durch sein moralisches Rückgrat bis zum Letzten aufrecht zu halten suchte. Wir gingen über zwei Stunden durch diesen Gang, in dem es nach Kohl und Abfall roch . . . kletterten über Eisenbahnschwellen, Holzklötze und faulende Matratzen und fanden uns am Ende in einem offenbar zu kirchlichen Zwecken bestimmten Raum . . . Dort stand der erste dadaistische Priester, den ich in meinem Leben gesehen habe, in violetten Unterhosen mit einer Katze im Arm. Auf dem Kopf trug er eine große Perrücke, aus der zwei Pfauenfedern stachen. Beim Sprechen fielen ihm die Zähne aus dem Mund und in seinen Ohren drehten sich die Girandolen beim Klang einer Militärmusik . . . Der Boden wankte und stellte sich manchmal so schräg, daß viele der Gäste hinfielen, und einige Damen fürchteten, durch den Anblick ihrer Beine die Aufmerksamkeit liberaler Männer auf sich zu lenken. Durch die Ritzen des Gemäuers kam Dampf, und heiße

Stilles Glück.

John Heartfield mit Frau und Kind unter dem Weihnachtsbaum.

Wasserstrahlen schossen aus den Ecken. — Meine Herrschaften, es war einfach überwältigend. Der Priester hob die Papiermaché-Brust und ließ die Augen, die er an einem Bindfaden dirigierte, hin- und herblitzen. Seine Stimme war wie der Donner, der aus den Gießkannen aufsteigt, wenn sie die Abendsonne bescheint. Er hatte einen Bart, in dem sich die jungen Mäuse „Gute Nacht" sagten, und die Schnellzüge standen wartend am Abgrund seines Nackens. „Ich bin der Priester", sagte er, „von Anbeginn bis zum Ende. Ich bin die Tulpe aus Valparaiso und das Butterfaß aus dem Bismarck-Archipel." In unserer Gesellschaft mehrten sich die Stimmen derer, die den Schwindel durchschauten und nichts sehnlicher wünschten, als zur Ruhe und zur Ordnung zurückzukehren. „Wir brauchen Arbeit und einen organischen Aufbau unseres Vaterlandes." sagte ein Herr neben mir, der sich später als ein sehr radikaler Politiker deflorierte. „Mer wolln unsern Geenig, unsern kuten Geenig wiederhamm", meinte eine Dame, die durch den Baß auffiel, mit dem sie ihre Meinung vorbrachte. Im allgemeinen, war die Stimmung die, daß man den Abend hätte besser damit verbringen können, ein gutes Buch zu lesen, Goethe zu verehren, Bier zu trinken, kurz die deutsche Kultur zu fördern. — Unterdessen hatte sich der Priester auf seine rechte Seite niedergelassen, zog einen Hasen aus seinen Zehen und sagte: „Ich bin der junge Mond, der an den Wasserfällen steht. Wenn ich lache, geht die Erde auf und die Häuser, die eben noch dastanden, als wüßten sie nichts, sammeln sich auf dem Kaiser-Friedrich-Platz. Heil! Heil! Der Himmel zerbarst und die Flöte zerbrach, noch ist nicht aller Nächte Morgen, noch ist nicht das Aequinoctium des Reisebureaus." Der Herr neben mir sagte: Sie dürfen nicht glauben, daß hinter dem Dadaismus der geringste Sinn steht. Diese Menschen sind sehr schlaue Betrüger, die sehr wohl wissen, daß der Unsinn die Leute anlockt, und die ihnen auf diese gerissene Weise das Geld aus der Tasche ziehen. Sehen Sie doch nur, der Kerl lacht ja selbst, daß ihm die Tränen aus den Augen kommen." Jetzt entrüstete sich eine junge Dame. „Er lacht nicht", fistelte ihr Stimmlein, „das ist ehrliche Begeisterung. Ich habe die Dadaisten in Dresden gesehen, als man Stühle auf ihnen zerhieb und Pianos nach ihrem Kopf abschoß. Dada sein, heißt tapfer sein." Der Priester in seinen violetten Unterhosen begann, sich auf dem Boden herumzuwälzen. Ein Trottoir roulant kam mit der Primadonna vom Metropolitain Opera-house, die auf ihren eigenen Beinen den Ragtime „Le délice" zu pfeifen wußte, — man konnte es kaum ohne Erröten und Rührung mit ansehen. Die Seekühe kamen ganz nahe heran, als wollten sie aus der Hand fressen, und die ungeheuren grünen Lazerten, die an den Decken zwischen den Phiolen und Retorten hingen, begannen sich wie Ventilatoren zu drehen. Es war jene Treibhausluft und Ventriloque-Stimmung, von der Capasses in seinem berühmten Roman „Chevilles" so manches bedeutende Wort sagt. Ohne, daß ich es bemerkte, war Geheimrat Spätzle in eine ungeheure Wut geraten. „Was?“, schrie er, „was? dies wagt man mir zu bieten, der ich von anständigen Eltern geboren bin, eine gute Kinderstube gehabt habe und neun Jahre lang die Klassen eines humanistischen Gymnasiums drückte? Ich bin immer für Fortschritt eingetreten — aber was zuviel ist, ist zuviel.“ Er sah sich um. „Und vom nationalen Standpunkt aus (er lachte höhnisch) diese Dadaisten sind alle von der Entente gemietet, um hier Revolution zu machen. Sehen Sie den an (der Dadasoph war aufgetaucht) — ist der ein Mensch oder ein Tier?“ Eine eifrige Diskussion entstand, aber der Dadasoph der gerade aus einer Versenkung hochkam, ein Mensch oder ein Tier sei. Man enschied sich für das Letztere. Kaum war der Geheimrat verstummt, da begann der große Einzug des dadaistischen Weltgerichts. Es war, als sollte das Gebäude über unserem Kopf zusammenfallen. Unter einem mächtigen Baldachin brachten sie den sogenannten Präsidenten des Weltalls Johannes Baader, einen früheren Schneidergesellen, versehen mit allen Legitimationen des Irrsinns und der dionysischen Beschränktheit. Aus seinen Ohren fiel das heiße Wasser pfundweise, auf das Gesäß hatten sie ihm Boxhandschuhe genäht, in dem er die Motti zu seinem unsterblichen Werk „Das Liebesleben der Dadaisten“ verwahrt haben soll. Dicht neben dem Präsidenten hielten sich der Dadasoph Hausmann und jener Huelsenbeck, dem man die Gründerschaft dieses ganzen Unfugs zuschreibt. Der Dadasoph ritt auf einer Eule, dem Tier der Weisheit, und hatte die Symbole Zarathustras, die Schlange und den Adler, in seiner Hand. „Die Welt als Erkenntnisproblem“, meinte er, „ist Tabu-Dada. Vom All-Einen kommen wir zu den Schweinen, hopsassa.“ Bei diesen Worten regte sich ein Herr in unserer Gesellschaft auf, der mit heißem Bemühen Hegel und Schopenhauer gelesen hatte. Der Propagandamarschall Grosz kam mit der Kesselpauke, dem Zeichen der dadaistischen Weltherrschaft. Dicht hinter ihm folgte der bekannte dadaistische Verkehrsminister und Monteurdada Heartfield. Es war eine illustre Gesellschaft. Ein unendlicher Zug schloß sich an. Auf Kühen und Pferden oder zu Fuß mit Kindertrompeten und Knarren folgten die Dadaisten aller Herren Länder, alle gekennzeichnet durch den gleichen dadaistischen Gesichtsausdruck. Da war der Troubadour und Lebemann der dadaistischen Bewegung in Paris, Herr Tristan Tzara, in der Uniform eines Untergrundbahnangestellten. Man sah ferner Kurt Schwitters, den weltberühmten Autor der „Anna Blume“. Der Lärm wurde so groß, daß unsere Trommelfelle jammerten wie kleine Kinder. Die große Knochenerweichung fiel von den Dächern. Kein Mensch wußte, wozu das gut war. Da schrie der Schneidergeselle Baader: „Dada ist der Sieg der kosmischen Vernunft über den Demiurgos. Dada ist das Cabaret der Welt so gut, wie die Welt das Cabaret Dada ist. Dada ist Gott, Geist, Materie und Kalbsbraten zu gleicher Zeit.“ Der Herr neben mir schrie vor Wut. „Dada“, sagte er, „ist der ausgemachte Quatsch. Dada bedeutet die Auflösung der deutschen Volksschule — und die Zerstörung des deutschen Gemütes.“ Ich schloß mich dieser Argumentation an und verließ mit ihm das Lokal auf demselben Weg, auf dem wir gekommen waren. —— ALEXIS.

Negerlieder.

Aufgefunden und übersetzt von Tristan Tzara.

Zanzibar.

o mam re de mi ky
wir sind den Wahha entgangen haha
die Wawinza werden uns nicht mehr plagen oh oh
Mionwu bekommt kein Tuch mehr von uns hy hy
und Kiala wird nimmer uns wiedersehen he he.

Sotho-Neger.

Gesang beim Bauen
a ee ea ee ea ee ee, ea ee, eaee, a ee
ea ee ee, ea ee,
ea, ee ee, ea ee ee,
Stangen des Hofes wir bauen für den Häuptling
wir bauen für den Häuptling.

Ewhe.

Gè-Dialekt.

Gesang des Sängers Holonu-Adinyo in Anecho.

Leopard voll Zecken nicht flieht er den Jäger
wir sind Schafmännliches welches Streit nicht meidet
Fetischpriester ruft: Bleibt nicht verborgen Jünger

Kuaku ruft euch zu: Adinyo nimmt es auf mit uns
Adigo-Stadt ist freilich städtisch das ist wahr
was jedoch ist euer darin

Zur Zeit da Alowohu kam und Hotuso kam
Freilich nach Anecho ginget ihr wohnen
euer Onkel Gbadoe stahl von den Franzosen
und sie nahmen Gbadoe banden taten ihn fesseln
sie schlugen Gbadoe daß er machte Kot
König Agbewe sie jagten euch aus Anecho
ihr ginget erschienet in Togo
Togo-Stadt sprach: Geschäft welches ihr bringet Hu-
rerei
Kind und Mutter trugen sie auf dem Kopfe
sie gingen sie zu verkaufen
Togo-Stadt verjagte euch
ihr ginget fort erschienet in Glidyi
Klomas Peitsche ist lang eine Flinte ist sie eine Dänen-
flinte
ihr brachet nachts auf ihr ginget erschienet in Dyete
dort ginget ihr wohnen in Schweinestall
Hundesöhne Schweinesöhne ihr brachet auf
kommet esset Schweineträber

Leopard voll Zecken nicht flieht er den Jäger
wir sind Schafmännliches welches Streit nicht meidet
Fetischpriester ruft: Bleibt nicht verborgen Jünger
Kuaku ruft euch zu: Adynio nimmt es auf mit uns
Adigo-Stadt ist freilich städtisch das ist wahr
was jedoch ist euer darin

S u a h e l i.
schaukeln iyo schaukeln
schaukeln iyo schaukeln
tu maassiti komm auf die Schaukel
setz dich und schaukele

wenn die Zeit der Hirse schaukelt
wollen wir die frische Hirse schaukeln
Hirse im Ort und schaukeln
vor Freude schaukeln

meine Mutter sagte mir verjage die Hühner
ich aber kann nicht fortjagen die Hühner
Hier sitze ich ohne Füße
und der Reis der Mutter wird von den Vögeln gefressen

isch isch

12 OCTOBRE.

Un serpent froid gourmette d'acier
S'est pendu à ton bras qui tremble
Secoue tes branches ô peuplier
Les feuilles partent et les oiseaux
Squelette . . . .

Ton rire se fige
lèvres inquiètes
Une mantille à tes épaules
une lettre
Est-ce un galop dans le fourré
Ton coeur bat-il à coups pressés
mes mains sont moites

Pâle regard du haut du ciel
Vois mon sein tendre
mes tulipes froissées
J' ai rempli ma bouche de miel

Eperons d'or cheval ferré
Au vent d'automne le feuille tremble
SIFFLE siffle serpent d' acier
J'ai la haine du métal
et je l'admire
Fidèle émissaire du canon
Tu portes la mort dans l'air qui vibre
Tu rends frois et raides comme des poutres
ceux que tu couches sous son baiser immonde
vipère ailée au vol ardent

Je grelotte la pluie tombe
O Mère des septs douleurs
Voici mon coeur
Tout ruisselant de la pitié du monde

Un arbre meurt dans la forêt . . . La Délivrance
Surgissez donc
en ce crépuscule pluvieux
ORGUEIL AMOUR
Flammes inpaisées
Une tour monte dans votre vie
OHE
L'écile en pleurs scintille

Raoul Hausmann,
der als Dadasoph die erkenntnis-kritischen Voraussetzungen des Dadaismus erfolgreich untersuchte.

Voici
          l'oubli
                    des jours
                              transis
Un clair feu dans la cheminée
LES SERPENTS BATTENT A LA VITRE

Paul Dermée.

Die Schwalbenhode.

4.

die edelfrau pumpt feierlich wolken in säcke aus leder und stein
lautlos winden riesenkräne trillernde lerchen in den himmel
die sandtürme sind mit wattepuppen verstopft
in den schleusen stauen sich ammonshörner diskusse und mühlsteine
die schiffe heißen hans und grete und fahren ahnungslos weiter
der drache trägt die inschrift kunigundula und wird an der leine geführt
den städten sind die füße abgesägt
den kirchtürmen nur volle bewegungsfreiheit in den kellern gegeben
darum sind wir auch nicht verpflichtet die krallen hörner und wetterfahnen zu putzen

5.

obwohl der mond mir wie ein spiegel gegenüberhängt schmerzt mich der engel im auge

auf den tischen laufen die sämereien auf und pochst
du an die pflanzen so springen ihre blumen
hervor
die löwen verenden vor ihren schilderhäusern mit
gießkannen voll diamanten zwischen den krallen
die führer tragen schürzen aus holz

die vögel tragen schuhe aus holz
die vögel sind voll widerhall
unaufhörlich rollen ihnen die eier aus ihren kleinen
herzen
ihr scheitel trägt den himmelsmast
ihre sohlen stehen auf schreitenden flammen
reißt die schneekette so rufen sie den herrgott an
senkt sich das himmelsrad so treten ihre hufe auf
schwarze körner

im januar schneit es graphit in das ziegenfell
im februar zeigt sich der strauß aus kreideweißem
licht und weißen sternen
im märz balzt der würgengel und die ziegel und
falter flattern fort
und die sterne schaukeln in ihren ringen
und die windfangblumen rasseln in ihren ketten
und die prinzessinnen singen in ihren nebeltöpfen
wer eilt auf kleinen fingern und flügeln den morgen-
winden nach

HANS ARP

Rückkehr zur Gegenständlichkeit in der Kunst.

Die Kunst ist eine Sache der Nation. Nationalität ist der Unterschied zwischen Polenta, Bouillabaisse, Powidl, Roastbeef, Pirogen und Kloßbrühe. Insofern ist es wichtig, der Kunst einen nationalen Charakter zu geben, um die gastronomischen Feinheiten, die eine bessere Kunst darstellen, als z. B. der Expressionismus ist, vom internationalen Standpunkt aus zu verwerten. Objektiv ist es eine Unmöglichkeit, Minestra oder Bouillabaisse zu essen, und in Mystik zu machen, oder Pirogen mit Klarheit zu verwechseln — alles dies ist eine Sache des gastrischen Klimas und damit des Gehirns, das in Rußland anders funktioniert, als in Italien. Gefährlich ist nur eine unentschiedene Mischung, wie Kloßbrühe; vielleicht könnten aber doch durch Erziehung zur Disciplin die Klöße trocken gegessen werden, was der Sauberkeit in der Wiedergabe des Vorstellungswesens sehr zuträglich wäre. So, wie die Gedanken der Männer einer Nation sich auf der Straße von der Form der Frauenbeine ablesen lassen, so sicher gestaltet die Ableitung des Hungers, der nationale Geschmack, den Geist. Letzten Endes formt eine Rasse die Neigung zur Sachlichkeit im Essen; trockene Nahrung erzeugt gute Frauengestalten und eine leichtere Sexualität, die durch Beeinflussung des Verdauungstraktes zur Ablehnung des Unerklärlichen, der Mystik, führt. Dies ist die einzige Unerklärbarkeit: die Metaphysik der Nahrungsgestaltung und die Ausprägung der Nationen. Eine Nation unter den Menschen ist die Modifikation der Hungerbefriedigung. Jede Nation mit trockener und eindeutiger Nahrung wird das Blödsinnige, also in der bildlichen Darstellung das, was man durchaus mit nichts vergleichen oder bezeichnen kann, ablehnen. Daher entstand in Italien als Uebergangskunst ein Realismus, der Futurismus, während in Frankreich wegen des Suppeneinschlags der Cubismus in Erscheinung trat. Deutschland, das Mittelland Europas, schwankte von linken zu rechten Beeinflussungen, von westlichen Formeln zu östlicher Formlosigkeit und gebar endlich den Expressionismus, in dem alles Unklare, Unfaßbare des deutschen Gemüts friedlich und versöhnt umherschwamm — wie eben Klöße in der Brühe. Der Mensch liebt es im allgemeinen nicht, sich zu sehen wie er wirklich ist — hinter der Epidermis und dem Speckbauch saugende, pumpende, übelriechende Maschinerien, die Eingeweide. Analog der Kurzsichtigkeit sich selbst gegenüber, lieben es die Menschen, der Unendlichkeit einen Sinn zu verleihen, ohne den Mut zu haben, den nur scheinbaren Sinn, die von der Nützlichkeit diktierte Wertung der Dinge, als Unsinn zu sehen. Der praktische Sinn der Nahrung ist zwar das Weiterleben, aber über das Leben kann keine Auskunft gegeben werden. Da nun der sinnfällige Unsinn in Italien zu Frittura, in Böhmen zu Schinken, in England zu Beefsteaks, in Frankreich zu Chateau briand, in Rußland zu Schtschi und in Deutschland zu Schmorbraten verarbeitet wird, so sind die Anschauungen über den Wert der Gegenständlichkeit auf dem Gebiet, das man Kunst nennt, national verschieden, so wie die Getränke ebenfalls den Wirklichkeitssinn oder die Mystik hervorrufen. Roter Wein ist eine Sache von Präcision, Bier verdickt und macht schwerfällig, Kwas aber muß wild und formlos machen. Ein Volk wie die Italiener, mit ihrem Kalbfleisch, ihrer Polenta und ihrem Rotwein, muß immer, in jeder Weltsituation zur Klarheit neigen, wie dagegen der Deutsche es neben Suppen und Stullen und seinem Bier nur zu einer ekelhaften Verdunkelung der Dinge, Expressionismus genannt, gebracht hat. Der erste Expressionist, ein Mensch, der die „innere Freiheit" erfand, war ein verfressener und versoffener Sachse, Martin Luther. Er hat die protesthafte Wendung des Deutschen zu einer unerklärbaren „Innerlichkeit" gleich Verlogenheit, ein Jonglieren mit eingebildeten Leiden, Abgründen der „Seele" und ihrer Macht neben einer knechtischen Fügsamkeit gegenüber der obrigkeitlichen Gewalt herbeigeführt, er ist der Vater Kants, Schopenhauers und des heutigen Kunstblödsinns, der an der Welt vorüberstarrt und sie damit zu überwinden meint. Sein immerhin klarster Ausdruck sind die frankfurter Würstchen, die aber auch nur aus protesthaften Regungen gegen die jüdische Realitätswertung entstanden, so wie alles Deutsche, das etwas Klarheit aufweist, als Protest, nicht aus einer Erfassung der Wirklichkeit, der menschlichen

Gegebenheit manipuliert wurde. Rußland, die Slaven überhaupt, ist eine Angelegenheit selbständiger Art. Das gastrische Klima bedingt Ueberwucherungen der Realität, eine Ueberhitzung mit Fett, die ganz anders geartet ist, als die deutsche Nüchternheit und Unfähigkeit. Wenn romanische Völker eine gute Verdauung besitzen, die Slaven alles verdauen können, so leidet der Deutsche an einem schmachvollen Wechsel von Verstopfung und Durchfall, der sich entweder in Kants Philosophie oder in Goethe's zweitem Faust oder etwa in Stramm's Wortfolgen zeigt; die Aeußerungen sind beim Deutschen klumpig oder er kann nichts bei sich behalten, jedenfalls zieht er aus allem einen Sinn, der nachhinkt oder voreilig ist, ohne jemals die Realität zu treffen. Das Gewolke Goethe's kehrt in der expressionistischen Kunst der Unerklärbarkeit subjektiver gastrischer Störungen wieder. Man halte dieser Abstrakt-tuerei den Ausspruch Courbets entgegen „Engel malen — ja, wer Engel gesehen hätte“ und man wird erfreut sein über die Perspektive der Natürlichkeit, der Vernunft im Essen und Trinken, die sich hier auftut, trotzdem Courbet sogar zeitweise das Bier liebte. Der Mensch einer ausgesprochenen Nation wird das Erklärbare, das Allgemeine lieben, nicht die Extravaganzen des dunklen Blödsinns. Er wird die Gegenständlichkeit der Umwelt und die Sachlichkeit des Geschehens fassen wollen, ohne bloße Ausschnitte oder Clichées noch den berühmten Temperamentswinkel der Natur zu geben; seine Ironie gegenüber sich selbst wird dies nicht zulassen und sein Bewußtsein, daß die Dinge nicht Vereinzelungen sind. Er wird das Portrait eines Menschen nicht im Vergessen der Eingeweide und die Wichtigkeit von Maschinen nicht in Unabhängigkeit einer richtigen Perspektive erleben wollen, der sauberen Nutzlosigkeit geometrischer Gebilde in Verbindung mit dem Himmel sich bewußt sein. Die Laune der Realitätsbetrachtung wird national verschieden sein, von einem romanischen zu einem moskowitischen Pol schwingen; den Deutschen aber dürfte geraten sein, sich zuerst mit einer planmäßigen Trennung von Kloßbrühe in Klöße und Brühe zu befassen — andernfalls werden sie niemals über weibliche Würstelbeine, Weltbeherrschungspläne und Expressionismus, also die Kultur der verlogenen Dummheit hinausgelangen.

RAOUL HAUSMANN

à Max Jacob

ORAGE

Nuit de tempête

l'obscurité me mord la tête

Les diables

cochers du tonnerre

sont en vacances

Personne n'a passé dans la rue

Elle n'est pas venue

Quelque chose
est tombé dan le coin
Et la pendule
ne bouge plus
Parfois le trolley
VILLE
Fait s'envoler
de petits oiseaux de feu
Dans la montagne
Les troupeaux
CAMPAGNE
tremblent sous l'orage
Le chien boîteux qui surveille
Cherche son ombre
Viens plus près de moi
On fera un beau voyage
Dans le désert de l'Afrique
Les girafes veulent avaler la lune
Il ne faut pas regarder
derrière les murs
La curiosité allonge les cous
On se cherche
Et l'on ne trouve pas le chemin
Je cache un souvenir
Mais c'est inutile de regarder mes yeux
Autour de la maison
Le vent gronde
Peut-être là-bas ma mère
Pleure
UN COUP DE TONNERRE FATIGUÉ
S'est posé sur le plus haut sommet

Vincente Huidobro (Madrid).

AVOIR UNE ILE . . .

La capitale est un palmier
parapluie parasol nourricier.

Il est la coupe où le soleil vient boire.
La limite de la terre et la limite de la mer.
Tente ciel vert
A hampe noire.

A son pied,
le fauteuil de jardin de mon omnipotente volenté.

ET RENDRE JUSTICE.

Un rayon ultra-violet a pu traverser l'armature
du temps-logique-bon goût.
Esprit
qualité pure
Il a brisé toute béquille sur son genou.

Flamme, danse et lumière,
il danse et luit.
Sans loi.

Max Goth
(Paris)

IHR
Bananenesser und Kajakleute!

Wischt die Lafetten aus und schmiert die Posaunen zum Dreiklang Eures jüngsten Gerichts. Die Monomanen sind die Priester des Weltalls. 1 Tausend 9 Hundert zwanzig Jahre frohnt der heilige Geist in den Bagnos Eurer parties honteuses. Schon kabelt Europa die Schreckenskunde: Hirnzellulose nur noch im Schleichhandel greifbar. Baut Woolworth-Häuser! in denen Eure Schande nistet, aber protzt nicht mit dem Sekret Eurer Adamsäpfel, die Ihr vom Baum der Erkenntnis geklemmt!

Persönlichkeit ist die Kurve des Harakiri.

Die Bankerotterklärung durch das Mitleid als Feigenschurz.

Ihr betet zur Zangengeburt von Bethlehem, dem großen Kuppler von Himmel und Erde. Das Paradies für jedermann sofort gebrauchsfähig mittels unserer synthetischen Hakenkreuze. Hauptschlager aus den Cabarets in I a. christlich-byzantinischer Aufmachung. Von Dionysos bis Pastor Mauke (und pathetische Cholera mit den üblichen Begleiterscheinungen nach dem Genuß unreifer Kompromißfrüchtchen!) Oder Achtung, der Messias kommt, ein Lotteriespiel mit tausendjähriger Ziehung, oder das Kalb mit den zwei Köpfen, oder, wenn Du glaubst Du hast'n, dann hupft er aus dem Kast'n.

Die sogenannten schönen Künste sind danach nur noch als Rollenpapier zu verwerten und wer sich seelisch reinigen will, der gehe statt in die Kirche zum Admiralsbad nebenan. Denn in der Unschuld haben sich immer die verdächtigsten Hände gewaschen. Und Eure Reue kommt stets zu früh, sie hinkt vor der Tat her.

Warum so heilig — revolutionär — modern!, wenn einem das Ethische egalweg hinten 'raus hängt . . . Dem Roentgen-Menschen gehört die Zukunft. Das kontrollierbare Unterbewußtsein muß die Forderung des Tages werden. Darum massiert vor dem kommenden Dauerschlaf Eure Träume sorgfältig mit Dada.

IHR

Bananenesser und Kajakleute!

Protzt die Schädel ab und versichert das Trommelfell gegen . . . Zukunftsmusik und Humanitätsdusel. Bedenkt, daß um die Ecke ein Mann Euer Schicksal kennt, dem eine Postkarte genügt . . . Nur keine Bange. Die theosophischen Schweinsblasen retten den Gemüseleib leicht zur Unsterblichkeit hinüber, und der General-Superintendent Wotan bläst zum Empfang den alten Dessauer auf der Prostata, sekundiert vom Flügeladjutant v. Paulus. Das große Preisrätsel: Hat Christus gelebt, ist umgestellt in das Problem: A b e r s e i d I h r g e b o r e n?

WALTER MEHRING.

Paysage

Le soir on se promènera sur des routes parallèles

L'ARBRE
ETAIT
PLUS
HAUT
QUE LA
MONTAGNE

La lune
ou
tu te regardes

MAIS LA
MONTAGNE
ETAIT SI LARGE
QU'ELLE DEPASSAIT
LES EXTREMITES
DE LA TERRE

LE
FLEUVE
QUI
COULE
NE
PORTE
PAS
DE
POISSONS

ATTENTION A NE PAS
JOUER SUR L'HERBE
FRANCHEMENT PEINTE

Une chanson conduit les brebis vers l'étable

Vincente HUIDOBRO

dada - Reklame - Gesellschaft **Direktion H. EHRLICH**

Berlin-Charlottenburg, Kantstrasse 118

Generalvertreter:
Huelsenbeck, Hausmann, Grosz, Herzfeld.

Sehr geehrter Herr

Wir haben uns eingehend mit Ihrem Unternehmen befaßt und müssen Sie fragen: Haben Sie schon das Äusserste für Ihr Geschäft getan? Die Reklame ist der Weg zum Erfolg. Die Reklame, die Sie für Ihr Geschäft machen, genügt nicht. Ihre Reklame muß ***psychologischer und weitblickender*** werden, Sie müssen die Suggestibilität des kaufenden Publikums durch die Art der Reklame zwingend beeinflussen. Wir sind Spezialisten auf dem Gebiete der ***Pressereklame.*** Wir haben glänzende Beziehungen zu den in- und ausländischen Redaktionen, unsere Vertreter befinden sich in ***Chicago, Newyork, Madrid, Rom, Zürich.*** Ein großer Stab von Schriftstellern und erstklassigen Zeichnern steht uns zur Verfügung. Sie erhalten bei uns die schlagendsten ***Plakate, Broschüren,*** neu in der zeichnerischen Form und textlich auf das Tiefste durchdacht. Unsere Reklame ist ***skrupellos.***
Wir unterscheiden uns von anderen Reklameinstituten dadurch, daß wir nicht die gewöhnlichen Mittel verwenden, sondern jedem unserer Schritte eine individuell durchgebildete Form verleihen. ***Kommen Sie mit Ihren Sorgen zu uns. Dada*** ist das für Sie Geeignete.

Das Dadareklamebüro erwartet
Ihren telephonischen Anruf
nachmittags von 4 bis 6 Uhr,
morgens von 9 bis 11

8998 ***Stein-platz***

Haben Sie einmal darüber nachgedacht,
welche Vorteile Ihnen daraus erwachsen, daß wir auf Grund unserer Beziehungen zu Herausgebern und Verlegern Ihr Geschäft in
Büchern und Zeitschriften
hervorheben können?

Sind Sie sich dessen bewusst geworden, was ein Heer von Sandwichmen und ein

Dada - Umzug

für Sie
reklametechnisch
bedeuten?

DADAISTISCHE Apercu's

Francis Picabia erklärt, daß ein intelligenter Mensch nur eine Specialität haben darf, und das ist: intelligent sein!

Tristan Tzara hat sich bereit erklärt, am mouvement dada teilzunehmen.

Georges de Zayas ist noch nicht ganz sicher, daß die moderne Malerei das Werk seriöser Menschen sei, er liebt nicht Leute, die die Oeffentlichkeit frozzeln.

Metzinger erklärt: mit ihm habe der Cubismus seinen Culminationspunkt erreicht! er wolle 'mal endlich 'was anderes anfangen!

Philippe Soupault hat sich soeben in Genf entleibt.

Arp ist zur Installation eines Krokodariums mit lebenden venetianischen Baumwurzeln an Stelle des alten Kgl. Aquariums nach LONDON berufen.

Wir gehören einer Art sentimentalem Touring-Cloub an.

André Breton

Marcel Duchamp befaßt sich nicht mehr mit Kunst, seit er ein neues Mittel entdeckt hat, um matt zu setzen: und zwar mit Strippe und einem Gummibademützchen! (schau schau!)

Louise Marguerite

Walter Conrad Arensberg hat dieses Mittel noch nicht entdeckt, er begnügt sich mit einem Schach dem König!

MARCEL Duchamp

SEIT wann bestimmen die Gefangenen bei den Beschlüssen des Generalstabs mit!

Augen haben etwas Gastrisches an sich

Den Plauzen gleich sind die Ohren!

G. RIBEMONT-Dessaignes

Daimonides erklärt nach eingehenden Versuchen die Menschen für Schleierschweine!

Antidadaismus ist eine Krankheit: die

Autokleptomanie, der normale Zustand ist daDA!

Ein Mittel zur guten Verdauung nennt WALT MERIN: monotheism gegen monaytism! vermehre dein Regenerationsvermögen bei lebendigem Leibe!

HUELSENBECK ist über Land gegangen! man sehe seine Specialwerke ein!

Meine Herren Revolutionnäre, Ihre Ideeen sind ebenso beschränkt wie die eines Kleinbürgers aus Besançon Francis Picabia

De chef is de baas

Paul Citroen Centrale commissie
(Holland) voor Kultur-Dada

God save la famille Dada. dieu tambour-major

Spucke hält dicht! an diesem Aberglauben ging Deutschland zugrunde! Walter Mehring

Die schönsten Türen sind die, hinter denen man sagt: öffnen Sie im Namen des Gesetzes!

L'eau de Javel et les lignes de nos mains dirigeront le monde! Soupault et Breton (Paris)

die Menschen sind Schleierschweine!
Huelsenbeck Daimonides Mehring

Ewigkeit! Ewigkeit! lassen Sie mich mal erst bis 10 zählen! Louis Aragon (Paris)

Alfred Stieglitz retour d'un voyage en France compte reprendre la publication de sa revue: Camera Work! Marius de Zayas (New York)

M. de Zayas à New-York est de plus en plus Louis XIV genre Dufayel. Rosemberg (New York)

EDGAR VARESE dit l'ange de New-York termine la danse du „Robinet Froid"
André Roosevelt (New York)

Das Moralische mißversteht sich immer von selbst! Edgar Firn

E. Bloomfield (Holland) ging nackend, nur mit Fausthandschuhen bekleidet von Pyrmerent durch die Bilderdykstraat nach Hilversüm.
everybody jimmist now . . . . .
Dadamerika

Hiermit überlassen WIR dada den besseren Familien! Dada-Centralrat

Wie denke ich morgen . . . .?
George Grosz

Vereinsdruckerei G. m. b. H., Potsdam.